MARXISME,
EXISTENTIALISME, PERSONNALISME

DU MÊME AUTEUR

Timidité et adolescence (Éditions Montaigne, Aubier).

Itinéraire spirituel (« Cahiers de la Nouvelle Journée », Bloud & Gay).

L'adolescence scolaire (Presses Universitaires de France).

Personne et amour (Éditions du Livre Français).

Vocation personnelle et tradition nationale (« Cahiers de la Nouvelle Journée », Bloud & Gay).

Le sens du dialogue (Collection « Être et Pensée », La Baconnière, Suisse).

Force et faiblesses de la famille (Collection « Esprit », Éditions du Seuil).

BIBLIOTHÈQUE DE PHILOSOPHIE CONTEMPORAINE
HISTOIRE DE LA PHILOSOPHIE ET PHILOSOPHIE GÉNÉRALE
Section dirigée par Émile BRÉHIER

MARXISME, EXISTENTIALISME, PERSONNALISME

PRÉSENCE DE L'ÉTERNITÉ DANS LE TEMPS

PAR

Jean LACROIX

TROISIÈME ÉDITION

PRESSES UNIVERSITAIRES DE FRANCE
108, Boulevard Saint-Germain, PARIS
—
1955

DIXIÈME MILLE

109

L147m

49095

AVANT-PROPOS

Nous réunissons ici quatre études, les unes déjà publiées mais considérablement transformées, les autres inédites Leur unité ne vient point seulement de leur identité d'inspiration, mais de ce qu'elles sont complémentaires et progressives : il s'agit de dégager l'inspiration personnaliste en la confrontant avec le marxisme et l'existentialisme. Nous disons bien l'*inspiration personnaliste*. Car on a fait tort jusqu'ici au personnalisme en le considérant comme une philosophie particulière qui serait à mettre sur le même plan que les autres. Elle prend alors la forme d'un vague éclectisme qui ne peut que le desservir auprès de tous ceux qui estiment à juste titre qu'une pensée véritable doit être systématique et rigoureuse, même, si l'on veut, technique. Au nom de quel personnalisme idéal pourrait-on choisir entre Descartes ou Kant, Hamelin ou Bergson, Lachièze-Rey ou Gabriel Marcel ? L'existentialisme, quand il se présente comme un humanisme, revendique au fond l'épithète de personnaliste. Et le marxisme aussi, lorsqu'il veut réconcilier l'humanité avec elle-même par la suppression des aliénations, n'est-il pas authentiquement un personnalisme ? S'il existe, comme nous le pensons, une intuition personnaliste fondamentale, elle ne peut jamais être saisie à part : il lui faut nécessairement s'incarner dans un système qui la rend intelligible pour elle-même sans toutefois parvenir à l'épuiser.

Ce n'est aucunement ce que nous avons essayé ici. Sans vouloir exprimer à part et comme mettre à nu l'inspiration personnaliste, ce qui n'aurait aucun sens, nous avons pensé qu'il était possible de dégager des orientations. Un système personnaliste ne peut plus être aujourd'hui ce qu'il était hier. Pour s'opposer effectivement à l'individualisme, il lui faudrait déboucher dans une sorte de trans-personnalisme, qui développerait une conception neuve, non plus seulement sociologique, mais proprement métaphysique de l'*être social*. Et ce n'est point par hasard si ces pages ont été écrites immédiatement après un volume où nous tentions d'analyser l'*être familial*. L'individu a été une conquête de la Grèce ; nous avons aujourd'hui assez de philosophies qui s'efforcent de le sauver et le perdent en réalité, en prétendant le défendre contre le mouvement d'unification, de socialisation progressive de l'humanité. Il ne s'agit pas de compromettre, mais de développer ce qui a été acquis en analysant les diverses formes de sociabilité qui permettent un développement réel de l'individualité et peut-être un approfondissement de la plus authentique liberté. Une déduction des catégories est sans doute encore possible ; elle serait sans aucune espèce de valeur si elle ne comprenait les catégories sociales. Le seul personnalisme possible est celui qui tiendrait compte de l'ordre total du réel.

Depuis un siècle de prodigieuses découvertes ont été faites : Nietzsche, Marx, Freud ont analysé les conditionnements individuels et collectifs de la pensée. On ne peut plus d'emblée s'installer en elle sans en tenir compte. Ce qui ne veut pas dire que l'analyse réflexive est dépassée, mais qu'elle doit s'épurer et s'éprouver continuellement si elle veut demeurer valable. Il nous semble même que l'œuvre propre du personnalisme contemporain devrait être d'intégrer ces acquisitions neuves à la traditionnelle méthode de réflexion. Pour notre compte nous ne sommes pas près d'abandonner l'héritage d'un Lachelier ou d'un Lagneau, voire d'un Hamelin. Mais, que nous le voulions ou non, il est désormais impossible de raisonner sur l'homme sans tenir compte de sa situation. Seulement une situation, en tant que telle, n'est que vécue ; dès qu'on veut la comprendre, on accède au système. L'existentialisme avec Kierkegaard est d'abord une réaction contre Hegel et l'esprit de système en général ; un siècle plus tard il esquisse presque partout un retour à Hegel et édifie des ontologies. Bon gré mal gré, il lui faut bien résoudre le problème des rapports du système et de l'existence. Et c'est un existentialiste, Amédée Ponceau, qui, dans son *Initiation philosophique*, en vient à définir la Raison comme la limitation perpétuelle des droits de l'Existence, comme ce par quoi l'Existence peut rester aussi proche que possible de la Valeur. Inversement dans le marxisme qui se présente avant tout comme un système et considère l'existentialisme comme son ennemi principal, ce qui intéresse nos contemporains c'est l'étude des situations existentielles, l'analyse de la condition prolétarienne et la construction d'un homme nouveau. L'être renvoie à la conscience et la conscience à l'être. A force de privilégier le *projet*, les existentialistes en viennent à méconnaître la valeur de la science et de la connaissance objective, presque à nier la *prévision* ; à force de privilégier la *prévision*, les marxistes en viendraient facilement à rejeter toute intériorité, à oublier l'aspect à la fois réflexif et moral du *Cogito* et à ne pas voir que, pour être accomplie, l'œuvre collective elle-même exige qu'elle devienne pour tous un *projet* individuel. Mais chacun ne combat l'autre qu'en se mutilant lui-même.

Le personnalisme, qui n'est pas seulement une philosophie, mais l'intention même de l'humanité — intention qui doit s'exprimer et se réaliser différemment suivant les progrès de l'itinéraire humain — voudrait en quelque sorte prendre la suite des philosophies du sujet pour les replonger dans le monde physique et social. Il est un projet qui dépasse toutes les prévisions, mais ne cesse de s'appuyer sur elles : il est cette croyance qu'un doute continu oblige à se dépasser toujours pour tenter de s'égaler à la totalité de l'objet. Le *Cogito* dont il part a le caractère ambigu d'établir la responsabilité du sujet et d'exprimer sa situation dans l'univers. Descartes, qui est comme le lieu de nos divisions, peut devenir celui de nos unions — si nous savons reprendre son aventure héroïque pour devenir plus généreux et nous joindre davantage d'amitié à mesure que nous nous lançons à l'assaut du monde. Et nous essayons plus loin de dégager la signification actuelle de son doute. Notre propos a été surtout de situer la connaissance humaine, de la replacer dans son milieu individuel et social tout en maintenant et précisant la prééminence du sujet. Notre tâche était modeste : non point construire même les linéaments d'un système personnaliste, mais indiquer ce que devrait assimiler tout système, quel qu'il soit, qui prétendrait s'inspirer du personnalisme. Car dans cet âge de luttes et de souffrances nous croyons plus que jamais au progrès : en s'efforçant de descendre dans les infra-structures instinctives et collectives de la pensée humaine, en les analysant et les expliquant, la raison permet à l'esprit de les dominer et de les diriger. N'est-ce point d'ailleurs le rôle de l'*esprit* de toujours dépasser la *raison* en intégrant sans cesse ses acquisitions ?

CHAPITRE PREMIER

L'HOMME MARXISTE

Sans doute y a-t-il une certaine malhonnêteté intellectuelle à parler de l'homme marxiste quand on n'est pas communiste soi-même, quand on ne milite pas dans une cellule. C'est que le marxisme ne se propose pas tant l'édification d'un système philosophique, politique et économique que la construction d'un *homme nouveau*. Mille fois les thèses de Marx ont été réfutées : on a montré notamment que sa notion de classe ne s'appliquait adéquatement qu'à la classe ouvrière et avait été abusivement étendue à d'autres milieux sociaux ; que sa conception de la valeur, en grande partie empruntée à Ricardo, ignorait les théories psychologiques qui s'élaboraient déjà de son vivant et qui sont devenues prédominantes ; que d'une façon générale enfin ses intuitions les plus justes et les plus précieuses étaient perpétuellement viciées pour s'exprimer dans le cadre trop étroit d'une philosophie rationaliste et scientiste qui fut trop souvent celle de son époque (1). Et cependant le marxisme n'en continue pas moins de vivre dans le cœur et l'esprit de millions d'hommes et d'animer le plus important mouvement social de notre époque. Il faut donc qu'il y ait autre chose. C'est précisément cette *autre chose* que nous voudrions essayer de pénétrer. Notre but ne sera pas

---

(1) Et qui parfois, hélas ! subsiste. Ainsi *La Pensée*, dont beaucoup d'articles s'inspirent du matérialisme le plus mécaniste et le plus vulgaire et sont plus proches du scientisme de l'*Union Rationaliste* que de la dialectique marxiste, reste un organe officiel du parti, même si beaucoup d'intellectuels communistes le désavouent.

tant de démonter le système de Marx que d'éclairer le
comportement intellectuel et pratique de l'homme marxiste.
On n'étudie pas Marx comme Kant ou Spinoza — et l'on ne
connaît pas plus la mentalité communiste après avoir
analysé les théories de Marx qu'on ne connaîtrait le christianisme après avoir énuméré ses dogmes, mais en ignorant
la vie chrétienne. Et certes sur le plan vital l'homme
marxiste est seul à se connaître : il récusera toujours
sur quelque point une description du dehors. Mais au
moins nous sera-t-il utile à nous-mêmes de l'approcher et
de l'appréhender, autant que possible, du dedans, avec
cette *sympathie méthodologique* qu'en retour nous voudrions
bien voir les intellectuels communistes appliquer à l'attitude chrétienne. Dans l'effort terrible et grandiose qui est
en train de s'accomplir, l'intérêt s'est déplacé du plan de
l'intelligence pure à celui de l'existence intégrale. Ce qu'il
nous importe avant tout de connaître ce n'est pas telle ou
telle thèse de Marx, mais le type d'homme qu'instruit par
Marx, Lénine et Staline, le mouvement communiste est en
train d'élaborer, qu'il a déjà partiellement réalisé.

I. — La Notion de Praxis

Ce serait un premier moyen de pénétrer la mentalité
communiste que de s'interroger sur le fait que nous venons
de constater : pourquoi n'y a-t-il pas et ne peut-il y avoir de
connaissance purement intellectuelle et, si l'on veut, philosophique du marxisme ? Pourquoi est-il impossible de
comprendre pleinement le communisme si l'on ne milite pas
à l'intérieur du parti ? C'est que le marxisme veut être
avant tout la fin de l'attitude philosophique, c'est-à-dire
contemplative. D'après Marx la philosophie a atteint son
apogée avec Hegel, mais en même temps elle en est morte :
désormais elle doit être dépassée. Le marxisme est précisément ce dépassement de la philosophie. Toute philosophie
est nécessairement inadéquate à son objet propre : l'exis-

tence humaine. Entre la pensée soi-disant désintéressée et l'existence engagée, il y a un abîme que rien ne peut combler. L'idéaliste est celui qui croit avoir résolu réellement les problèmes lorsqu'il les a résolus en pensée. Le tort de Hegel est d'avoir pris vis-à-vis du tragique quotidien et historique une attitude par trop contemplative : il le sublimise dans la philosophie qui, « fatiguée des passions de la réalité, s'en retire pour le penser ». Marx ne s'accommode pas de ce genre d'idéalisme qui finit en contemplation : il oppose « les chaumières de la réalité au palais d'idées de la philosophie ». En elle-même la philosophie est une certaine manière d'exister à l'écart de l'histoire et du monde. Or le communiste est celui qui est entièrement engagé dans l'histoire et le monde. Non que le marxisme soit une philosophie de l'engagement. Il repousserait violemment une telle formule. Les philosophes de l'engagement s'imaginent que celui-ci dépend de nous, de notre libre initiative ; ils se donnent le ridicule de nous évertuer à accomplir ce qui n'est pas une obligation, mais une nécessité. Nous n'avons pas à nous engager, nous sommes engagés. Et l'expression de *philosophie de l'engagement* est une contradiction dans les termes, puisque la philosophie est au contraire un effort pour échapper à l'histoire et au monde, pour les juger d'un point de vue extérieur ou transcendant, pour *se dégager*. Le philosophe qui, après s'être réfugié dans sa pensée, prône ensuite un engagement qui ne dépend pas de lui donne le plus vain spectacle qui soit. Il n'y a pas de connaissance pure sans un certain *recul* par rapport à l'objet à connaître. Mais ce recul est déjà trahison. C'est cette attitude de théorie, c'est-à-dire, au sens étymologique, de contemplation, que le communiste rejette. Tel est le sens de la fameuse thèse sur Feuerbach : « Les philosophes jusqu'ici n'ont fait qu'interpréter le monde. Il s'agit maintenant de le transformer. »

Cette attitude neuve s'exprime chez Marx par la notion de *praxis*. Ce serait se tromper de tout au tout que de l'entendre en un sens pragmatiste. Le marxisme ne répond pas à la prétendue supériorité de la pensée sur l'action par une supériorité de l'action sur la pensée. Sa position est autre. Le communiste authentique ne peut penser sans agir ni agir sans penser ; sans cesse il agit sa pensée et pense son action. Son attitude est assez proche de celle de la science, qui ne connaît pas de dogmes, mais vit d'un perpétuel va-et-vient entre une théorie, toujours remise sur le chantier, et une pratique qu'oriente la théorie. Dans son inspiration la plus profonde l'esprit marxiste est sans doute une négation radicale de tout dogmatisme. C'est ce que veulent dire les communistes lorsqu'ils affirment que le marxisme n'est aucunement une théorie, mais simplement une méthode. Encore faut-il bien entendre — et c'est exactement ce que signifie la notion de *praxis* — qu'il est en même temps et indissolublement une méthode d'analyse de la réalité et une méthode d'action sur la réalité. La *praxis* apparaît ainsi comme l'attitude de l'homme concret qui réagit à chaque instant avec son être total, pensant et agissant. De même que la connaissance de la nature nous libère en nous permettant d'agir sur elle en fonction même de notre savoir, ainsi la connaissance de la société nous libère aussi en nous permettant d'agir sur elle en proportion de notre science. Connaître et agir sont les deux modalités inséparables de l'homme. L'attitude d'objectivité, qui est en définitive celle de la connaissance pure, est donc la plus opposée au marxisme : jamais il ne se contente de constater. S'il faut analyser l'état social présent c'est *pour* aider à construire l'avenir. Au surplus, consciemment ou non, tout le monde prend parti et l'objectivité prétendue n'est qu'hypocrisie. Mieux vaut le faire franchement, et, au lieu de se targuer d'une vaine objectivité, connaître le mouvement de l'histoire tel qu'il existe en fait et y participer activement : une intelligence qui n'est pas contemplative, mais transformatrice du monde avoue sa nature véridique en se passionnant pour les transformations nécessaires.

« En lutte avec cet état social, écrit Marx, la critique n'est pas une passion de la tête, elle est la tête de la « passion. Elle n'est pas un contenu de dissection, elle est une arme. Son objet est l'ennemi qu'elle ne veut point réfuter, mais anéantir. Elle ne se donne plus comme une fin en soi, mais simplement comme un moyen. Sa passion essentielle est l'indignation, sa tâche essentielle la dénonciation. »

Ce qui signifie que le marxisme n'a rien d'utopique. Par utopie il entend toute construction théorique de la Cité future, quelle qu'elle soit. Si, comme on l'a dit, Marx est le plus grand théoricien du régime capitaliste, dont il a inventé la notion, analysé les rouages et prédit la fin tragique, il n'a jamais décrit aucune cité socialiste. Et il s'est même brouillé avec un ami anglais qui avait voulu le faire. C'est que la description de la Cité future ou utopie est impossible, c'est que, dans la mesure où elle est possible, elle est forcément réactionnaire, toute description ne pouvant se faire qu'à partir d'éléments fournis par la société présente. Par opposition à l'esprit d'utopie, qui est à la fois anarchiste, parce qu'il procède d'une réaction individualiste contre l'état social, et conservateur, parce qu'il est mû par un idéal qui emprunte la plupart de ses traits à la réalité actuelle, le communisme est rationaliste, scientifique. Analysant la société capitaliste, Marx y découvre les contradictions qui la minent du dedans tout en l'orientant vers une certaine issue. Entre la production collective, caractéristique du régime d'aujourd'hui et surtout de demain, et la propriété privée, vestige du régime d'hier, il y a une contradiction qui ne peut se résoudre que par la socialisation des moyens de production (1). Les antinomies du capitalisme ne sont pas seulement intellectuelles ; elles sont

---

(1) Mais le socialisme est-il la seule issue possible du capitalisme ? On sait combien la question aujourd'hui est discutée. M. James Burnham, professeur à New York University, vient de s'efforcer d'établir dans son ouvrage retentissant, *L'Ère des organisateurs*, que la chute du capitalisme ne profiterait pas au socialisme, mais produirait une nouvelle forme de société où le « directeur » deviendrait l'équivalent du capitaliste, où domineraient les *managers*.

vécues. La lutte des classes n'est pas une création du marxisme ; c'est un fait qu'il observe. C'est le régime capitaliste lui-même qui produit le prolétariat, lequel est sa négation et sera son fossoyeur. Tel est le mouvement dialectique de l'histoire. L'homme marxiste est simplement celui qui le connaît et y participe ; le marxisme n'est qu'une libre participation à une dialectique de la nécessité, à un mouvement nécessaire — et libre non certes de le créer ou de l'arrêter, mais de l'agir en quelque sorte en le connaissant ou de le subir en l'ignorant. Le communiste n'est donc pas du tout quelqu'un qui a construit un système idéal et veut le réaliser ; il est uniquement celui qui analyse la situation historique dans laquelle il se trouve et vit aussi pleinement que possible le mouvement libérateur qui doit la dénouer. « Le communisme n'est pas pour nous un état qui doive être créé, un idéal destiné à orienter la réalité. Nous appelons communisme le mouvement effectif qui supprimera la situation présente » (Karl Marx).

Par là comprend-on la formule célèbre du *Manifeste Communiste* que le communisme est la conscience du prolétariat. Le mot conscience ici n'a aucun sens moral, il signifie seulement connaissance, prise de conscience. Aux yeux de Marx être communiste, c'est prendre conscience de la condition prolétarienne et faire effort pour la détruire en anéantissant le capitalisme. En une page angoissante, Marx compare le prolétariat au Christ sur la croix : de même, montre-t-il, que l'homme-Dieu crucifié est pour les chrétiens le rédempteur des hommes, c'est-à-dire celui qui réconcilie l'humanité et la divinité entre lesquelles il est comme déchiré, ainsi le prolétariat, véritable crucifié du monde moderne, peut seul détruire les contradictions actuelles, parce qu'entre elles il est écartelé, parce qu'il est celui qui en souffre le plus. Sans doute le bourgeois aussi connaît l'aliénation : il s'aliène dans l'argent comme le prolétaire aliène sa propre substance dans le produit que l'employeur s'approprie. Mais cette aliénation bien loin de

le faire souffrir, l'endort plutôt : la conscience bourgeoise
est facilement une conscience heureuse. Et comme son
mouvement naturel est d'éviter le plus possible les difficultés de la vie grâce à l'argent que lui procure l'exploitation de la classe laborieuse, elle compense facilement le
malheur de la réalité présente par l'imagination d'un idéal
transcendant et religieux dans lequel elle se réfugie. Les
prolétaires au contraire sont l'inquiétude du monde, parce
qu'ils en sont la souffrance : la conscience prolétarienne
c'est la conscience malheureuse, la conscience inquiète. Le
prolétariat, dit Marx, est la « perte de l'homme ». Il suffit de
prendre conscience de cette perte pour se révolter contre
elle. Ce qu'on appelle le messianisme de Marx n'est que la
conscience du rôle nécessaire attribué à la classe ouvrière
dans l'œuvre révolutionnaire. Le bourgeois, si l'on veut,
est contentement, donc inconscience ; il est aliéné sans le
savoir. L'ouvrier constitue l'inquiétude sociale même ;
d'où la prise de conscience du problème et par suite la possibilité de le résoudre. Parce qu'il est dénué de tout, le prolétaire saisit l'inhumanité essentielle de notre société. Loin
de fuir dans le transcendant, il garde le contact des choses
et ainsi il conçoit la nécessité de la révolution qui, en
réconciliant l'individu avec lui-même et avec les autres,
rendra possible, une société humaine et une conscience
vraie. Mais pour personne le danger n'est écarté définitivement : il faut éviter les aliénations, coïncider avec le mouvement historique, maintenir l'unité de la pensée et de
l'action. Le marxisme se refuse au dualisme du fait et de la
valeur : l'idéal n'est pas extérieur et transcendant à l'histoire, il se dégage du passé qu'il achève. Aussi concevoir
n'importe quelle révolution qui ne serait pas organiquement liée au mouvement d'émancipation des prolétaires
c'est être « révolutionnariste », comme disent les communistes modernes, c'est-à-dire sombrer dans l'utopie et faire
le jeu de la réaction. A la transcendance hégélienne de
l'Idée, Marx substitue la dialectique révolutionnaire du pro-

létariat. C'est que le prolétariat n'est pas une classe particulière, parmi d'autres classes de la société bourgeoise : il
est la classe qui résulte de la décomposition de cette société,
le produit de ses contradictions intimes, « une classe qui est
la dissolution de toutes les classes, une sphère qui a un
caractère universel par sa souffrance universelle, et ne
revendique pas de droits particuliers mais un tort *en soi*,
une sphère qui ne puisse plus s'en rapporter au titre historique, mais simplement au titre humain, une sphère enfin
qui ne puisse s'émanciper sans s'émanciper de toutes les
autres sphères de la société et sans par conséquent les
émanciper toutes ». Ainsi dans le prolétariat, et dans le prolétariat seulement, dont la contradiction est l'expression de
la contradiction de *toute* la société bourgeoise, Marx trouve
le levier nécessaire pour « désaliéner » l'homme (1).

Ainsi y a-t-il un mouvement spontané des masses :
comme ce sont elles qui souffrent le plus des contradictions
du monde moderne, elles sont naturellement portées à les
détruire, c'est-à-dire à faire la révolution. Ce mouvement
de révolte, que le bourgeois attribue volontiers aux
meneurs, est pour Marx le fait de la base : *le communiste
est celui qui croit à la spontanéité des masses*. Mais ce mouve-

---

(1) Cf. le remarquable article de Jean Hippolyte, sur *La Conception hégélienne de l'Etat et sa critique par Karl Marx, in* vol. II, 1947, des *Cahiers internationaux de Sociologie.* Le rôle de la *prise de conscience* dans le marxisme y est
profondément analysé : « Cette notion de *prise de conscience,* si importante dans
la dialectique de la *Phénoménologie* hégélienne, elle est le moteur de l'émancipation humaine pour Marx. La prise de conscience n'est pas la réflexion pas-
sive d'un état de choses, elle est ce qui seul peut constituer la réalité de la
contradiction dialectique aussi bien que ce qui exige sa résolution. Que le prolétaire prenne conscience de l'aliénation de l'homme, cela signifie une opposition intérieure à l'homme même, et cette opposition n'est contradiction réelle et
exigence de résolution que parce qu'elle est à la fois objective et subjective,
qu'elle exprime un état de fait — l'homme posé comme en dehors de lui-même,
comme une chose — et une négation de ce fait — l'homme comme sujet inaliénable ne pouvant se trouver précisément comme une chose. Le prolétariat est
chez Marx le sujet qui porte à son point extrême la contradiction de la condition humaine et devient ainsi capable de la résoudre effectivement. Mais cette
résolution de toute transcendance est-elle possible aussi bien sur le plan de
l'histoire que sur celui de la pensée ? La condition humaine contient-elle avec
son problème la solution même du problème ? » (p. 161).

ment spontané n'aboutit pas fatalement à la révolution. Tel quel il reste aveugle et ne produit rien. Seule la connaissance qu'on en a permet d'agir sur lui : la révolution, dit Marx, est le saut de la nécessité dans la liberté. Le stade de la prise de conscience est donc capital : en dehors de lui il n'y a pas d'événement proprement *humain*. Il y a un mouvement spontané des masses. Le rôle des communistes est d'en prendre conscience, pour le faire aboutir : ils sont en ce sens la conscience du prolétariat. Mais on pourrait ajouter que les chefs sont la conscience des communistes comme ceux-ci sont la conscience des masses. Nul parti en effet n'a autant d'admiration et de respect pour ses chefs, dont le rôle est immense. Il ne s'agit pas pour eux d'infuser en quelque sorte aux prolétaires un idéal qui ne leur serait pas immanent, mais au contraire de leur faire prendre pleine conscience de ce qu'ils sont : leur fonction propre est au sens strict de *radicaliser les masses*. Ainsi y a-t-il va et vient perpétuel entre les chefs et les masses, sans qu'ils puissent se séparer : la masse sans le chef est vouée à des réactions désordonnées et anarchiques qui n'aboutissent jamais et la livrent toujours davantage au pouvoir de la classe exploitante ; le chef qui ne se contente pas d'exprimer les besoins de la masse et perd le contact avec elle s'isole dans ses conceptions propres, purement subjectives, et devient infailliblement un « révolutionnariste » et un renégat. La masse, comme l'objet chez Auguste Comte, est régulatrice de nos pensées intérieures : on ne saurait avoir raison contre elle. Là est tout le secret de la force communiste suivant Staline. « Lénine, a-t-il déclaré, nous a enseigné non seulement à instruire les masses, mais à nous instruire auprès des masses... Les simples gens sont parfois autrement plus près de la vérité que certaines institutions supérieures... La liaison avec les masses, le renforcement de cette liaison, la volonté de prêter l'oreille à la voix des masses, voilà qui fait la force et l'invincibilité de la direction bolchevik. On peut établir comme règle générale

qu'aussi longtemps que les bolcheviks conserveront leur
liaison avec les grandes masses du peuple ils seront invincibles. Et au contraire il suffit que les bolcheviks se détachent
des masses et rompent leur liaison avec elles, il leur suffit
de se couvrir de la rouille bureaucratique pour perdre toute
leur force et se transformer en néant. » Puis, rappelant la
légende d'Antée, Staline poursuit : « Les bolcheviks nous
rappellent, selon moi, le héros de la mythologie grecque,
Antée. De même qu'Antée, ils sont forts parce qu'ils ont
des attaches avec leur mère, avec les masses qui leur ont
donné naissance, qui les ont nourris et les ont formés. Et
aussi longtemps qu'ils restent attachés à leur mère, au
peuple, ils ont toutes chances de rester invincibles. Là est
le secret de l'invincibilité de la direction bolchevik. » Ainsi
comprend-on que Daniel Villey ait pu écrire que le marxisme
était la *philosophie immanente du prolétariat* (1). Mais cette
situation des prolétaires tout le monde peut la connaître et
s'efforcer d'y porter remède. Si un bourgeois a plus de difficultés à la saisir, il le peut cependant. A la différence de
l'hitlérisme le marxisme est un universalisme : nul en droit
n'est exclu de son salut. « Il naît, écrit Marx, une classe
sociale qui doit porter tous les fardeaux de la société sans
jouir de ses avantages, qu'on fait sortir de la société et
qu'on pousse à l'antipode de toutes les autres ; une classe
qui constitue la majorité et d'où part la conscience de la
nécessité d'une révolution complète, la conscience commu-

---

(1) Cf. Daniel Villey, *Petite Histoire des Grandes Doctrines Économiques*,
p. 204-5 : « Avec lui (Marx) le socialisme cesse d'être un idéal ou un programme
pour devenir un mouvement de classe. La classe prolétarienne, une et unie par-
dessus les frontières des nations, c'est une découverte, et en partie une œuvre de
Marx. A qui trouve hermétique sa pensée, je ne conseillerais point d'apprendre
l'allemand ni de passer ses nuits sur les volumes du *Capital*, mais bien de
s'efforcer à connaître les prolétaires. Ceux-ci n'ont jamais lu Marx ; ils le
comprennent peut-être mieux que nous. Non qu'ils devinent Marx, mais parce
que le génie de Marx les a devinés. Le marxisme ne serait-ce point en quelque
sorte la philosophie immanente du prolétariat, de l'action prolétarienne révolutionnaire ? Marx l'a formulée en termes barbares. Ces millions d'hommes la
vivent et l'incarnent obscurément sans le savoir. Bien des choses n'ont pas été
révélées aux doctes et aux prudents, que savent les petits et les humbles... »

niste, conscience que les autres classes peuvent se former
également en comprenant la situation de celle-là. »

Ainsi, croyons-nous, achève de s'éclairer la notion de
praxis. L'homme marxiste n'est point celui qui rabâche
Marx mais celui qui comprend le mouvement de l'histoire
et y participe, qui à chaque instant fait le point de la situation pour voir dans quel sens elle s'oriente et ce qu'elle
permet à l'action humaine, qui joint si l'on peut dire, l'état
d'esprit du *savant* et celui du *militant* pour transformer
sans cesse la société dans le sens de la dialectique historique. La *praxis* n'est certes pas une condamnation de
l'intelligence : si la connaissance purement objective, qui
n'aurait ni sens ni signification dans le devenir historique,
est discréditée, la conscience et la raison ont un rôle de
premier plan. La philosophie de Marx se prétend plus
concrète que celle de l'existentialisme sartrien par exemple,
parce qu'elle se soucie moins de décrire l'existence de l'individu que de faire cesser son aliénation. L'homme a dans le
marxisme une tâche bien déterminée : devenir libre, car,
d'emblée, il ne l'est pas, conquérir son être objectif, être
vraiment humain. Le mot *possible* a chez les marxistes un
sens bien caractéristique : il ne signifie pas indétermination,
mais *ce que l'on peut*. Le prolétariat est « perte de l'homme »,
c'est-à-dire que l'humanité pour lui n'est pas *possible ;* il
faut donc qu'il *conquière* son humanité en transformant
sa condition, ce qui ne se peut faire que par la révolution de
la société. L'homme a ainsi un but réel : sa délivrance,
échapper à la fausse catégorie de l'*avoir*, qui lui rend
impossible tout rapport humain authentique et le place
sous la domination d'une puissance à laquelle il ne peut
échapper, l'*aliène*. De son aliénation à la délivrance toute
une marche progressive ouvre le champ de ses possibilités et
le rend de plus en plus libre. Tel est le sens de la *praxis* et
tel est le but du marxisme : régénérer l'homme. Et régénérer
l'homme c'est seulement lui faire prendre conscience de ce
qu'il est, lui donner le sens du mouvement historique

auquel il appartient, lui montrer une route dure, semée des
exigences du travail, où l'on ne progresse que coude à coude
avec l'humanité tout entière conçue organiquement et dont
la libération ne s'opère que dans le cadre d'une action
sociale militante.

II. — L'homme marxiste est un combattant

La mentalité qu'implique une telle conception — et
qu'elle crée — est évidemment celle d'un *combattant*. On ne
comprendrait rien à la psychologie d'un communiste si
l'on ne commençait par voir qu'il est en état de *guerre
totale* avec la société présente. Dialectiquement le prolétariat est la négation de la bourgeoisie. Et cette négation
n'est pas seulement intellectuelle, mais vivante : la nier
pour lui c'est la détruire. La lutte doit donc être implacable.
Or une longue expérience démontre que tout rapport
humain avec les capitalistes l'affaiblit. D'aucuns en effet
voudraient, par delà la contradiction et la guerre, maintenir
des rapports d'homme à homme. Il y aurait des droits
inhérents à la personne humaine en tant que telle et qui
devraient être respectés en quelque circonstance que ce
soit. Une telle mentalité est étrangère à la conscience
communiste. D'abord elle n'y peut voir qu'un piège et une
hypocrisie. Le capitalisme, lui, ne respecte aucun de ces
droits dont pourtant il se réclame ; de son côté les grands
mots de justice, liberté, égalité, fraternité ne font jamais
que masquer les intérêts les plus sordides et assurer sa prédominance de classe. Et s'il est effectivement des idéalistes
sincères chez lesquels l'appel à l'idéal est subjectivement
désintéressé, il n'en reste pas moins qu'en négligeant les
conditions réelles de la révolution ils font objectivement le
jeu du capitalisme. Telle est la raison de l'inefficacité politique, pour ne pas dire de la nocivité, de tout spiritualisme,
fût-il le mieux intentionné. Car ce qui compte en politique
ce ne sont pas les intentions, mais les résultats. Sans doute

touchons-nous là au comportement le plus profondément inviscéré dans l'esprit marxiste. Ce qu'on appelle son matérialisme consiste avant tout dans ce réflexe qui l'amène à toujours juger des actes, non des bonnes volontés. La pire erreur serait de vouloir réformer la société en réformant les consciences. « Ce n'est pas la conscience des hommes qui détermine leur être, dit Marx ; c'est leur être social qui détermine leur conscience. » Puisque donc les consciences humaines ne sont que le reflet des rapports sociaux, elles ne peuvent être vraiment modifiées sans que les rapports sociaux le soient. Tant que subsisteront les contradictions du monde capitaliste, la personne sera déchirée et malheureuse. La révolution seule peut permettre à chacun de passer de la conscience aliénée à la conscience réelle : la réforme intérieure et individuelle y est inefficace. Chercher entre la bourgeoisie et le prolétariat une espèce de commun dénominateur humain c'est énerver chez ce dernier la conscience de classe et favoriser son adversaire, c'est trahir la révolution. Psychologiquement le communiste est celui qui désespère du monde capitaliste et chez lequel ce désespoir absolu est le moteur même de la lutte ; il n'appartient pas au monde capitaliste, il y campe comme un ennemi perpétuellement sur ses gardes et il n'a de rapport avec lui que pour le combattre et l'anéantir.

Ce qui ne signifie point que le marxiste nie les valeurs ; il peut nous donner parfois cette impression, mais ce serait mal traduire ce qu'il est pour lui-même. Ce qui est vrai c'est qu'il les entend autrement. Certes il n'y a pas pour lui d'idéal transcendant qui juge du dehors et d'en haut. Consciemment ou inconsciemment, la référence à l'éternel est une hypocrisie : elle ne fait que masquer une fuite ou une trahison. C'est que chez l'homme, engagé dans le devenir historique, tout a un sens par rapport à ce devenir même : chez lui tout est *situé*. Aussi les valeurs sont-elles immanentes à l'humanité et à son histoire. Ou, plus exactement, c'est toujours la classe montante et conquérante qui

est porteuse des plus hautes valeurs de son temps. C'est que
cette classe — exactement comme la *nation* chez Hegel —
s'identifie alors, pendant un temps, avec l'idée de l'émancipation totale de la société. « Ce n'est qu'au nom des droits
généraux de la société qu'une classe particulière peut
revendiquer la suprématie générale, écrit Marx ; alors une
autre classe représente l'asservissement et la perversion
sociale. » Ainsi en France la bourgeoisie s'est en 1789
identifiée avec l'idée de l'émancipation intégrale de
l'homme, tandis que la noblesse représentait le crime
social. Mais les valeurs de la classe montante sont à chaque
époque celles de l'union de la science et de la technique, de
l'intransigeance rationaliste. Le plus grand instrument de
conquête, c'est la raison. C'est elle qui permet la lutte, la
découverte et le progrès. Toute classe qui progresse invoque
la raison et l'utilise. Mais, dès qu'elle s'est installée au
pouvoir, elle délaisse vite son rationalisme. Lorsque
l'inquiétude l'a quittée et qu'elle s'abandonne à la possession, elle devient la victime de la catégorie de l'avoir.
Même, pour lutter contre la nouvelle classe qui l'attaque et
veut prendre sa place, elle en vient bientôt à invoquer une
justification transcendante de son autorité : elle délaisse la
raison pour la foi. Ainsi la bourgeoisie fut rationaliste au
temps de son ascension. Descartes et les encyclopédistes,
abandonnant la connaissance vaine des scolastiques pour
une science opératoire qui se penche sur les métiers et veut
conquérir le monde, sont le signe manifeste d'un rationalisme triomphant, lié au triomphe même d'une classe. Mais
au xxᵉ siècle une bourgeoisie décadente, débilitée par
trois siècles de possession, ne connaît plus cette confiance et
cette audace : elle fuit dans le transcendant, après avoir été
voltairienne elle devient religieuse, elle oublie ses origines
et s'imagine éternel un régime qui dépend, comme les précédents, de circonstances historiques, elle invoque l'argument d'autorité et se réfugie dans les régions nébuleuses de
l'irrationnel pour tenter de maintenir un pouvoir prêt à lui

échapper. Ne disons pas grossièrement que l'infra-structure économique détermine telle superstructure idéologique et que par exemple le mode de production de la fin du XIXᵉ siècle a nécessairement engendré la philosophie bergsonienne. Mais disons que, comme la bourgeoisie conquérante du XVIIᵉ siècle a engendré le cartésianisme pour se légitimer, la bourgeoisie décadente du XXᵉ produit naturellement le bergsonisme, les divers existentialismes et toutes les formes d'irrationalisme. Le marxisme invente une nouvelle manière d'analyser la pensée : il ne l'attaque pas directement en elle-même, il creuse par en-dessous. Ce qu'il met à nu ce sont les conditionnements économiques et collectifs de la superstructure idéologique, comme Nietzsche en découvrait au même moment l'infra-structure instinctive et individuelle. Il s'agira moins de réfuter en elles-mêmes les diverses philosophies modernes que de montrer qu'elles sont toutes les produits d'une époque de décadence. Seul le triomphe de la nouvelle classe conquérante, porteuse à son tour des plus hautes valeurs rationnelles, peut mettre fin à cette décadence. *Lutter pour le prolétariat et avec lui, c'est donc effectivement promouvoir les valeurs.* Bien loin d'être inhumaine, la lutte totale contre le capitalisme est aux yeux du marxiste une lutte pour l'homme.

Ce qui entraîne ce qu'il nous est le plus difficile, je ne dis certes pas d'admettre, mais même de comprendre et que j'appellerais volontiers l'*identité de la morale et de la révolution*. Cette conception cependant s'impose dès que la négation de la transcendance est radicale. Les plus décidés négateurs de Dieu reconnaissent encore un idéal qui en tient lieu et, jusque dans l'immanentisme proudhonien, la Justice est un succédané de l'Absolu. Les marxistes paraissent être les seuls à pousser jusqu'à ses plus extrêmes conséquences la négation du transcendant. Si l'acte humain n'a pas une double référence, d'une part à l'histoire dans laquelle il s'insère et d'autre part, à une norme supérieure qui le juge, mais une seule, à savoir la première, il s'ensuit

nécessairement qu'il ne peut tirer sa valeur propre que de
son rôle historique. Il est *situé* et son *sens* total dépend de la
façon dont il fait évoluer la situation (1). L'acte bon est
celui qui va dans le sens de l'histoire, l'acte mauvais celui
qui s'y oppose : le progrès de l'humanité, voilà donc la
norme suprême qui permet de juger de la valeur morale de
l'action. Les seuls êtres effectivement moraux sont ceux qui
agissent dans le sens de cette révolution qui se confond
elle-même avec le progrès de l'humanité. L'acte le plus
moral, si l'on veut, c'est le plus progressiste. La philosophie
marxiste est sans doute la seule qui puisse se définir exclusivement par la notion de progrès. Est-ce à dire, comme on
le répète souvent, que pour le communiste la fin justifie les
moyens ? Reconnaissons au moins, en toute loyauté, que
lui-même ne se reconnaît pas dans cette formule. Si une
maxime pouvait traduire son attitude, ce serait plutôt la
suivante : qui veut la fin veut les moyens. La comparaison
avec le christianisme est instructive. Le chrétien, dit le
marxiste, n'admet pas que la fin justifie les moyens. Ce
serait en effet admettre qu'un moyen, dans lequel la fin
n'est pas immanente, pourrait être justifié du dehors en
quelque sorte, par une relation extrinsèque avec la fin.
Mais il admet bien que qui veut la fin veut les moyens,
c'est-à-dire que le moyen doit être obligatoirement voulu
qui porte en lui-même la présence et l'immanence de la fin.
Si un moyen doit être rejeté, c'est qu'en réalité, et malgré
les apparences, il ne conduit pas au salut des âmes : mais
s'il est vraiment sauveur, le chrétien véritable ne peut pas
ne pas l'employer. N'est-ce pas chez lui la signification de

---

(1) « Nous pensons qu'il n'y a pas de morale éternelle et qu'il n'y a que des
morales relatives. Notre morale se déduit des conditions dans lesquelles nous
vivons et dans lesquelles nous combattons, elle est sentie avant d'être systé-
matisée dans une philosophie. Elle a aussi cet élément de relativité auquel
nulle morale n'échappe. Si elle a un aspect de contrainte par rapport à certaines
aspirations, c'est parce que nous menons un combat : nous vivons dans une
société où la lutte des classes est un fait fondamental ». Pierre Hervé, *L'Homme
marxiste*, in *Les Grands Appels de l'Homme contemporain*, p. 100.

l'identité de la voie et du but ? Ainsi de l'homme marxiste. Puisque être moral, c'est être progressiste, il veut nécessairement le moyen qui est authentiquement un progrès de l'humanité. Et c'est à coup sûr que dans les conflits internationaux il donnera immanquablement raison à l'État le plus progressiste, comme Hegel donnait raison à la nation qui incarnait temporairement l'Idée. Pour le marxiste comme pour le chrétien, ce qui fait la bonté du moyen c'est l'immanence et la présence en lui du but (1). Ne disons donc pas que le succès justifie, car il peut n'être qu'un accident de l'histoire. Tel est par exemple le cas du fascisme qui peut bien faire parade d'anticapitalisme, mais qui doit être interprété au contraire comme l'ultime réaction d'un capitalisme aux abois qui, pour se faire accepter, en vient à utiliser contre ses adversaires leur propre terminologie. Ce qui seul légitime, c'est le succès de longue durée qui va dans le sens de l'histoire et du progrès de l'humanité. Nous en revenons donc à cette norme ultime ; c'est elle qu'il faut tirer au clair pour pénétrer définitivement la morale communiste.

La contradiction est pour Marx le moteur même du progrès. Au cours de l'histoire les possédants créent sans cesse la classe des exploités, qui est leur négation et leur propre fossoyeur. A chaque moment, il faut donc prendre parti pour la classe inférieure, qui sera bientôt la classe triomphante, porteuse des plus hautes valeurs et qui sera

---

(1) Subjectivement, les attitudes peuvent être analogues. Objectivement, la différence est radicale. Elle ne naît pas de la malice des hommes, mais de l'opposition des buts. En effet la fin que se propose le chrétien est surnaturelle. Les seuls moyens qui conduiront nécessairement à une telle fin sont donc eux-mêmes surnaturels et spirituels. Ainsi le christianisme authentique ne contraint ni les âmes ni les corps dans l'ordre temporel : il les laisse libres. La fin que se oppose le communisme est au contraire purement immanente et historique ; les moyens seront donc nécessairement humains et matériels, et ne pourront que faire violence aux hommes qui refusent la fin. Inéluctablement la reconnaissance de la transcendance libère tandis que sa négation tyrannise. Si le simple dialogue avec les communistes est tellement difficile, ce n'est point qu'ils apportent un trop grand bouleversement dans la société, c'est qu'en poussant à ses plus extrêmes conséquences le rejet de toute transcendance ils aboutissent à une perversion du langage qui littéralement, ne permet plus de s'*entendre*.

supplantée à son tour. La vision marxiste de l'histoire est
une vision tragique, où les catastrophes sont condition de
progrès, où la force est accoucheuse des sociétés. Mais ces
catastrophes successives ne constituent pas un cycle infer-
nal, une sorte d'enfer dont il serait à jamais impossible de
s'évader. Au cours du devenir les contradictions se concen-
trent et se resserrent ; l'évolution se précipite jusqu'à ne
plus laisser face à face qu'un petit nombre d'exploitants et
la masse des exploités. L'accélération est particulièrement
sensible dans le système capitaliste. Bientôt le prolétariat
se révoltera. Et sa révolte sera nécessairement victorieuse,
car il devient sans cesse plus nombreux, tandis que les capitalistes le sont de moins en moins et que les liens qui les
attachent à leurs entreprises se font — au fur et à mesure
que celles-ci s'agrandissent — de plus en plus abstraits et
de plus en plus juridiques. Sans doute alors faudra-t-il une
période de dictature du prolétariat pour détruire tous les
vestiges du système antérieur et construire le socialisme.
Mais les prolétaires ne seront pas supplantés dans la direction de l'État par une nouvelle classe. La dialectique de
l'État prolétarien sera peu à peu de se détruire en tant
qu'État et en tant que prolétarien. La fin de la lutte des
classes, c'est d'accoucher de la Cité sans classe. Le désespoir
vis-à-vis du monde capitaliste a pour contre-partie un
immense espoir en l'humanité, une extraordinaire foi en
l'homme. Il y a même dans le marxisme un étrange optimisme, proche par certains côtés de celui du XVIIIᵉ siècle.
A force de se contredire, les contradictions ne peuvent pas
ne pas se détruire ; à force de se nier les négations ne peuvent pas ne pas aboutir à l'Affirmation totale. Comme le
spinozisme le marxisme se meut fondamentalement dans ce
qu'on pourrait appeler un *climat d'affirmation*, mais l'intuition d'éternité s'étale seulement en une dialectique de la
durée qui aboutira bien à une sorte d'intuition, entendons
de connaissance intégrale et de pleine possession de l'humanité par elle-même : comme le sage spinoziste est celui qui

a conquis son essence particulière affirmative en s'élevant
de la connaissance du premier genre à l'amour intellectuel
de Dieu, ainsi l'humanité marxiste est celle qui se conquiert
progressivement à travers la dialectique de la lutte des
classes pour aboutir à la pacification intégrale. La raison
profonde semble en être que les contradictions et négations,
si profondes soient-elles, sont moins essentielles chez Marx
que chez Hegel : pour ce dernier tout lien humain a son
origine dans la dialectique du maître et de l'esclave, dans
cette *lutte pour la vie et la mort* qui ne cessera jamais,
tandis que pour Marx l'aliénation a sa source dans une
exploitation de l'homme par l'homme, qui ne tient pas à
l'essence même de l'humanité et qui donc peut prendre
fin (1). En tout cas, contre le désordre et la contradiction,
le communisme est une volonté d'ordre et de réconciliation. Tel est le sens de l'histoire. L'humanité est en quête
d'elle-même. Puisque c'est leur être social qui détermine la
conscience des hommes, ceux-ci resteront aliénés tant que
subsisteront les antinomies. Le malheur de la conscience
n'est que le reflet des déchirements de la société, de la

(1) C'est encore un point que Jean Hyppolite a parfaitement mis en lumière.
« Marx conçoit la possibilité d'une existence authentique de l'homme conforme
à son essence sociale... Cette conception admise, il restera à comprendre pourquoi
l'essence de l'homme n'a pas encore pu s'actualiser dans l'existence. Marx en
découvrira les raisons historiques dans le conflit des classes sociales. Mais cette
lutte des classes étant résolue... la contradiction entre l'essence sociale de
l'homme et son existence de fait disparaîtra ; elle disparaîtra *réellement* et non
pas seulement *en idée* comme dans la religion ou dans les méditations philosophiques de Hegel, qui ne sont que des acrobaties intellectuelles. La dialectique
hégélienne maintient toujours au sein de la médiation la tension de l'opposition, la dialectique réelle de Marx travaille à la suppression complète de cette
tension. Elle prétend y parvenir dans *le réel lui-même.* Mais si nous considérons
l'objection que Hegel ferait à cette critique, nous pensons qu'il se refuserait à
cette disparition possible du « tragique de la situation humaine ». Ce tragique ne
tient pas seulement à certains conflits économiques qui peuvent un jour ou
l'autre disparaître, il tient au mouvement même de la Vie ou de l'Idée dans
l'histoire. Par un renversement curieux de perspectives, explicable si l'on admet
qu'à un moment donné de son évolution, Hegel a pensé comme Marx à une
suppression effective de l'aliénation de l'homme, puis a dû y renoncer en médi-
tant sur certains événements historiques, c'est Hegel qui paraît ici entraîné
dans un *mouvement dialectique sans fin,* où se miroite l'Idée, tandis que Marx
prévoit une *fin de l'histoire (loc. cit.,* p. 152-3).

lutte des classes. Mais lentement, douloureusement, par son effort millénaire, l'humanité conquiert son être objectif. L'homme n'est pleinement homme que dans et par sa communauté avec les autres hommes. En réalisant cette communauté c'est-à-dire en mettant fin à la lutte, il passe de la conscience aliénée à la conscience réelle, il réconcilie l'humanité avec elle-même. La conscience heureuse est celle qui reflète une humanité pacifiée. Ainsi s'explique que, pour le marxiste, l'homme le plus moral soit le plus progressiste. Si la moralité est pour lui identique à la révolution, ce n'est point en vertu de quelque calcul machiavélique ou purement opportuniste, c'est qu'il veut découvrir et réaliser enfin l'essence de l'homme, cette essence aliénée dans la lutte et la guerre et qui ne se trouvera que dans la paix, cette espèce d'état de grâce de l'humanité.

Il s'ensuit évidemment que ce qui importe pour un communiste c'est ce qui seul peut obtenir un tel résultat, à savoir le parti (1). Pour les marxistes le parti communiste n'est pas un parti comme un autre : c'est une église ou, plus exactement, un véritable *ordre*. Il est donc naturel de tout lui sacrifier, non seulement sa vie ce qui va de soi, mais jusqu'à son honneur, jusqu'à la vérité même. Ou plus exactement le conflit est en quelque sorte impossible, il n'existe que pour ceux du dehors qui se font de l'honneur ou de la vérité un absolu sans référence historique : il n'y a pas de vérité en dehors du parti. Le parti seul peut conduire à la révolution et la révolution est nécessaire : comment

---

(1) Sur la notion de parti l'attitude communiste, quoique souvent mal comprise, est nette. En stricte orthodoxie communiste le parti est lié à la classe : il est approximativement l'*expression politique d'une classe sociale*. En régime de démocratie bourgeoise il doit donc y avoir plusieurs partis, autant qu'il y a de classes. Ainsi dans la France d'aujourd'hui l'idéal serait trois partis : un parti d'unité ouvrière et paysanne représentant les prolétaires ; un parti représentant les classes moyennes, à tendance radicale ; un parti de droite représentant les intérêts capitalistes. L'effritement des partis est un mal, parce qu'il masque leur substructure économique sous l'apparence de querelles purement idéologiques. Mais en régime de démocratie réelle, lors de la construction du socialisme, il *ne* peut plus y avoir qu'un seul parti ; puisqu'il n'y a pratiquement plus multiplicité des classes.

pourrait-on lui opposer une opinion individuelle, sans lien
avec la masse ? Sans doute il n'y a pas de dogmes, la tactique est adoptée après examen de la situation et chacun
peut et doit donner son avis. Mais une fois la décision prise,
nul ne peut s'y soustraire ou lui opposer sa conscience. Ce
serait déserter dans la bataille. Certes le parti peut momen-
tanément se tromper ; les communistes savent le reconnaître et nul ne pratique autant qu'eux l'auto-critique. Il
n'en reste pas moins que l'obéissance est absolue et qu'on
doit se soumettre tant qu'une autre décision n'a pas été
prise. En dehors du parti il ne peut y avoir ni vérité ni
histoire ; on ne peut donc s'y soustraire sans se détruire
soi-même. La seule liberté que connaisse le communiste est
une liberté d'adhésion et de participation. A la longue,
puisque le parti est l'incarnation de l'idéal révolutionnaire
dans l'histoire, il ne peut pas se tromper. Il faut être avec
lui pour être. Ce qu'on pourrait exprimer encore en disant
que le parti seul est valeur. C'est pourquoi le parti communiste ne développe pas l'attitude oppositionnelle ; la mentalité de l'émeutier lui est le plus opposée. L'attentat individuel, et parce qu'il crée du désordre et parce qu'il risque
de soustraire son auteur à l'emprise du parti, est condamné.
En un sens, comme on l'a justement affirmé, le parti
communiste est toujours au pouvoir. Il l'exerce effectivement au nom de la classe ouvrière et l'accession au pouvoir
politique ne peut inaugurer pour lui que l'élargissement
d'une action révolutionnaire continue qui est son être
même (1). Une telle attitude entraîne un dévouement total

(1) « Cette remarque vaut d'ailleurs pour tous les pays et même quel que
soit leur degré de développement politique. L'Angleterre et l'U. S. A. n'ont
pratiquement pas de parti communiste. Et pourtant les prolétaires anglais et
américains représentent la substance encore inorganisée, mais déjà efficace,
d'un pouvoir authentique dont la maturation, pour lente qu'elle soit, est iné-
luctable. Ainsi en puissance dans les pays politiquement arriérés et avec un
degré croissant d'efficience dans la plupart des pays européens, la révolution,
du point de vue communiste, a par essence les titres du pouvoir, dont il lui
appartient seulement de se donner les organes » (Pierre Kaufmann, *in Temps
Présent*, 29 novembre 1946).

vis-à-vis duquel on ne peut éprouver de l'extérieur que des
sentiments mêlés d'admiration et d'effroi.

Sans doute commence-t-on à comprendre que le
marxisme est moins un système objectif d'explication de
l'univers qu'une volonté farouche de création d'un homme
nouveau. C'est ce qui explique que ce rationalisme et ce
matérialisme puissent créer chez ses adeptes une telle foi.
Le communisme, pour eux, c'est la jeunesse du monde.
Après cette pré-histoire, où l'homme fut un ennemi pour
l'homme, viendra l'histoire indéfinie où l'homme sera un
ami pour l'homme. Et cette histoire sera toujours jeune
tandis que cette pré-histoire est éternellement vieille.
Nous ignorons encore ce qu'est l'homme, mais il nous
appartient de le créer. Et c'est cette création seule qui est
notre jeunesse. D'où ce double sentiment caractéristique de
l'homme marxiste : un mépris total pour l'homme dégradé
du monde bourgeois, un enthousiasme débordant pour
l'homme nouveau qu'il veut réaliser. Son paradoxe éton-
nant c'est de mêler en lui également la haine et l'amour,
jusqu'au jour où l'amour triomphera. Le communisme
c'est l'ordre et le marxiste trouve tout naturel de préférer
l'ordre au désordre. Haïr le désordre, aimer l'ordre, c'est
son réflexe spontané et il comprend mal qu'on ne le
comprenne pas. De cette haine et de cet amour, de ce
désespoir et de cette espérance on pourrait citer quoti-
diennement de multiples exemples. C'est après le Festival
du Cinéma de Cannes, la radio soviétique qui déclarait :
« Le Festival de Cannes a mis en pleine lumière la dégrada-
tion de l'art cinématographique bourgeois... La plupart
des films projetés à Cannes, qu'ils soient américains,
anglais, hollandais ou de tout autre pays mettent en scène
des alcooliques ou des morphinomanes, font assister à la
décomposition de la conscience humaine, et témoignent de
la plus extrême pauvreté idéologique, manifestant un total
manque de foi en l'avenir, en la vie et en l'homme. » C'est
un jeune et brillant étudiant communiste qui m'écrivait

pour me donner les raisons de son adhésion au parti :
« Nous y travaillons parce qu'il est naturel de préférer
l'ordre au désordre, l'harmonie au chaos, le rationnel à
l'absurde. Nous y travaillons parce que nous savons que
l'homme a à sa disposition les moyens matériels de transformer son destin. Nous savons que l'homme vaut mieux
que ce qu'il est et que le sort qui lui est fait actuellement
n'est pas éternel, qu'à ce sort qui lui est fait succédera un
sort qu'il se fera. Jamais il n'a eu autant de possibilités
qu'aujourd'hui de se rendre maître et possesseur de la
nature, de la dompter, de l'acclimater, de la civiliser, de
l'organiser, de la discipliner. Et ces possibilités iront en
s'accroissant. Nous ferons en sorte de les exploiter... Pour
les marxistes il y a aussi des valeurs, mais ces valeurs sont
purement humaines et rationnelles. Un homme a de la
valeur à nos yeux quand il abat en chantant son ouvrage,
quand il travaille et vit dans la joie, quand il est jeune,
robuste, intelligent, avide de s'instruire, courageux, enthou-
siaste, qu'il cherche à épanouir toutes les richesses qu'il
recèle. Malheureusement l'épanouissement total de la personne humaine n'est qu'un grand mot sonore dans la situation historique où le sort nous a jetés. Mais le sort n'est pas
invincible. »

III. — L'Homme marxiste est un homme ouvrier

Ainsi sommes-nous amenés à caractériser en dernier
lieu l'homme marxiste comme un homme ouvrier. Il y a
dans le communisme une mystique du travail, une mystique
de la production. Mais cette mystique n'est point celle du
confort et de la jouissance, encore que viendra le temps de
l'abondance pour tous. C'est bien plutôt une mystique de la
maîtrise de la nature et de la conquête du monde. Marx
veut faire du travail non plus une contrainte, mais un
besoin. L'humanisme marxiste est un humanisme de
l'action. Mais cette action est tournée vers le dehors, vers la
résolution des problèmes techniques destinés à faire progres-

ser l'humanité, à libérer le prolétariat, à secouer les opprimés de leurs chaînes. Le marxisme prétend s'intégrer dans une tradition qui est marquée par les grands noms de Descartes, des encyclopédistes, de Saint-Simon ; il invoque Prométhée dont Marx déclare qu'il occupe le premier rang parmi les saints et les martyrs du calendrier philosophique. Le dialogue de la main et du cerveau, l'union de la science et de la technique font un homme qui découvre sa propre humanité en transformant le monde. Quelle que soit la façon dont l'homme est issu de la nature, ce qui est certain c'est qu'il nous apparaît comme en opposition avec elle ou du moins dissocié d'elle. Le travail est le moyen par excellence pour remédier à cette dissociation. Aussi est-il le facteur initial de l'éveil de la conscience : il répond aux besoins de l'homme, lui concilie une nature hostile et contribue à l'épanouissement de son auteur (1). C'est en accomplissant une œuvre ensemble que les hommes entrent en communauté les uns avec les autres. Le travail collectif est créateur d'une humanité nouvelle : comme disait Saint-Simon il faut substituer à l'exploitation de l'homme par l'homme l'exploitation du globe par les hommes associés. La science n'est point cette contemplation que croyaient les Grecs : elle est opératoire, travailleuse si l'on peut dire, élan de conquête. L'histoire de l'humanité est celle de ces inventions qui ne furent pas connaissance pure, mais transformations du régime de production, qui modifièrent à leur tour les rapports sociaux. En d'autres termes il y a dans le marxisme une double lutte : lutte de l'homme avec l'homme qui a nom lutte des classes, lutte de l'homme avec la nature qui s'appelle travail. Et cette double lutte aboutira à une paix totale, qui naîtra de la réconciliation de l'humanité avec elle-même et de la parfaite maîtrise de l'homme sur le monde (2). En humanisant la nature le tra-

---

(1) Cf. Émile Rideau, *Séduction communiste et réflexion chrétienne*, p. 55 sq.
(2) Se pose ici la plus difficile interprétation du marxisme. Il semble bien — et les textes que nous citerons par la suite ne paraissent pas pouvoir être

vailleur devient plus homme, et en devenant plus homme il
devient davantage un avec l'humanité tout entière et
conquiert son être objectif : le labeur du prolétaire humanise l'univers matériel qui l'universalise en retour.

Telle est l'éminente dignité du travail dans le marxisme.
Avec lui il ne s'agit pas seulement d'une primauté du travail substituée à la primauté de la pensée, mais d'une transformation radicale de la raison et de tout l'homme. Comme
nous l'avons déjà indiqué, la raison véritable n'est plus la
raison contemplative, mais la raison conquérante, la raison
ouvrière, la raison effectivement transformatrice du monde.

interprétés autrement — que pour Marx l'homme doive devenir une sorte de
dieu, qu'à la limite on puisse concevoir un monde qui serait devenu un parfait
instrument entre les mains de l'humanité et d'où toute souffrance serait bannie.
Triompher de tous les obstacles, et peut-être même de la mort, tel est le but du
communisme. Si le marxisme vit bien dans ce *climat d'affirmation* que nous
avons dit, s'il considère les contradictions et les oppositions comme relatives,
s'il est vraiment prométhéen, c'est l'interprétation qui s'impose. Cela seul
d'ailleurs donne au communisme une grandeur qui légitime tous les sacrifices.
Et, par une sorte de contradiction dialectique qui lui est immanente, n'est-ce
pas seulement au nom de cette utopie radicale qu'il peut nier toutes les utopies
secondaires ? Mais un tel optimisme paraît à beaucoup inconcevable. Aussi
enlèvent-ils au marxisme ce qui fait sa spécificité pour n'y plus voir qu'une
sorte de doctrine du progrès indéfini dans le plus pur style des philosophies
du xviiie siècle. Cf. notamment les affirmations si nettes de Pierre Hervé, dans
sa conférence sur *L'Homme marxiste*. « La société communiste sera une société
où il faudra encore lutter, où se poseront des problèmes, où il y aura des contradictions — parce que autrement ce serait une société morte et, en quelque
sorte, la fin de l'humanité » (p. 201). « Il n'y aura plus de luttes de classes dans
la société socialiste. Est-ce à dire que toutes les contradictions seront sup-
primées ? Il restera tout au moins cette contradiction fondamentale entre
l'homme et l'univers. A moins d'une identification — ou à moins d'une domination totale que je ne vois guère sans une identification — il y aura toujours
cette contradiction relative entre l'homme et l'univers. Cette contradiction qui
s'exprime dans la connaissance et dans l'action (la science n'étant qu'un aspect
de l'action d'ensemble de l'humanité) se perpétuera tant qu'il y aura des
hommes... Il y aura d'autre part des inégalités de développement. On ne peut
pas penser que tous les hommes dans l'univers, marchant d'un même pas,
arriveront aux mêmes découvertes et auront partout les mêmes conceptions.
Inévitablement il y aura des contradictions et des désaccords et des interfé-
rences entre diverses opinions ou diverses conceptions. Donc là encore il y aura
une société en mouvement et non pas une société finie qui se repose » (p 105-6).
Ce qui est très raisonnable. Mais alors le marxisme ne serait plus la fin totale de
l'aliénation et proprement le *salut* de l'homme. Il perd sa grande valeur *essentielle*. Aussi, dans la suite, nous en tiendrons-nous à l'interprétation marxiste
de Marx.

Le propre du marxisme est de nier toute pensée purement
théorique, toute spéculation détachée de l'activité pratique,
de définir le travail comme fondement de la vie. Le travail
pour Marx est l'activité par laquelle l'homme accomplit sa
vocation en humanisant la nature. Les thèses sur Feuerbach débutent par une critique du matérialisme vulgaire.
Ce que Marx reproche à ce matérialisme, y compris celui de
Feuerbach, c'est de traiter la matière comme une donnée
objective, détachée de l'acte humain. Erreur qui permet à
l'idéalisme de prendre une facile revanche en projetant la
lumière sur le rôle actif de la conscience. Mais l'idéalisme se
trompe à son tour en réduisant la conscience à un schéma
abstrait, au lieu de considérer l'activité humaine comme un
tout. C'est ce tout de l'activité réelle de l'homme, cette
activité ouvrière, cette *praxis* que Marx oppose à l'idéalisme comme au matérialisme. Il se refuse à considérer une
pensée en soi, séparée de la *Praxis* ; mais il ne se montre
pas enclin non plus à traiter les objets sensibles comme
détachés de l'activité humaine. Marx ne veut connaître
l'homme qu'au travail dans l'histoire, dans ses rapports
avec la nature et avec ses semblables. C'est par le travail
que l'homme affirme peu à peu à travers l'histoire sa maîtrise sur la nature et se réalise lui-même. L'activité de
l'homme se dégage lentement de la nature et affirme sur
elle sa primauté, créant une nature humanisée par le travail
et en même temps se créant elle-même, devenant plus spirituelle à mesure que sa maîtrise s'affirme davantage. « En
agissant sur la nature qui est hors de lui, à travers ce mouvement et en le transformant, l'homme transforme aussi sa
propre nature. Il développe les puissances endormies en lui
et il soumet le jeu de leurs forces à sa propre autorité »
(Marx). L'activité humaine ne sort donc pas toute faite de
l'activité naturelle, comme suivant un matérialisme vulgaire. Le naturalisme de Marx est en définitive un humanisme, ce qui implique malgré tout un certain dualisme de
l'homme et de la nature. Mais le communisme prétend

mettre fin à ce dualisme : il est aussi bien la réconciliation
de l'homme avec la nature que la réconciliation de l'humanité avec elle-même. Les deux d'ailleurs sont liées et,
comme nous le rappelions tout à l'heure, c'est du même
effort que la nature est humanisée et l'homme universalisé.
Aussi n'est-ce point par simple hasard que la construction
du socialisme coïncidera avec l'époque où l'homme aura
acquis une suffisante maîtrise sur le monde pour en faire
déjà un véritable instrument entre ses mains. Dans un texte
fameux Marx l'a déclaré avec une parfaite netteté. « Le
communisme, étant un naturalisme achevé, coïncide avec
l'humanisme ; il est la véritable fin de la querelle entre
l'homme et la nature et entre l'homme et l'homme. Il est la
véritable fin de la querelle entre l'existence et l'essence,
entre l'objectivation et l'affirmation de soi, entre la liberté
et la nécessité, entre l'individu et l'espèce. Il résout le mystère de l'histoire et il sait qu'il le résout. » Ainsi c'est la progressive domination de l'homme sur l'univers qui est le
triomphe de l'esprit : la liberté, qui est à la fois connaissance et maîtrise, est une création continue, une *libération*.
L'homme n'émerge à la conscience et à la liberté que par
son effort pour humaniser et spiritualiser la nature, et cet
effort et cette émergence dépendent eux-mêmes de la résistance de la nature (1). L'homme est une activité relative-

(1) « C'est avec le travail que commence la domination de l'homme sur la
nature. Le langage naquit *du* travail et *avec* le travail. Travail, langage et
société : tels sont les fondements de toute l'évolution humaine... Grâce à l'asso-
ciation de la main, de l'organe de la parole et du cerveau, non seulement chez
l'individu, mais aussi dans la société, les hommes sont devenus capables
d'accomplir des travaux de plus en plus compliqués, de se poser et de réaliser des
fins de plus en plus élevées. D'une génération à l'autre, le travail devenait plus
parfait et plus varié. A la chasse et à l'élevage vint s'ajouter l'agriculture, à
celle-ci le filage et le tissage, le travail des métaux, la poterie et la navigation.
Après le commerce et l'industrie naquirent et se développèrent l'art et la
science, les tribus devinrent des nations et s'agrégèrent pour former des États.
Alors firent leur apparition le droit et la politique, et avec eux, ce reflet fantas-
tique des choses humaines dans le cerveau humain qu'est la religion. Devant
toutes ces formations qui apparaissent, à première vue, comme des produits
du cerveau et semblent dominer les sociétés humaines, les productions plus
modestes réalisées par la main humaine qui travaille apparurent comme

ment autonome, quoique conditionnée par les déterminations du monde où il vit, par les forces de production dont il dispose. Tel est le sens de la formule célèbre : « Les hommes se font à eux-mêmes leur propre histoire, mais dans un milieu qui la conditionne » (Marx).

Car c'est la lutte même de l'humanité contre la nature qui est sa liberté. Marx pense qu'il faut faire de l'homme un être libre et indépendant. Mais si l'homme a été créé par un autre être, par un Dieu, il en dépendra toujours : le seul être indépendant et libre est celui qui s'est créé lui-même. Tel est bien d'après Marx le cas de l'humanité. L'homme est démiurge de l'homme, c'est-à-dire que c'est l'homme qui se fait lui-même. Et le moyen par lequel il se fait est précisément le travail. Quoique issu de la nature, l'être humain est le seul qui s'oppose à elle. Disciple en cela de Hegel, Marx pense que le travail est l'activité négatrice par excellence, celle par laquelle l'homme nie la nature, c'est-à-dire lutte contre elle, la maîtrise, la domine et la met peu à peu à son service. Dire que le travail est l'essence de l'homme c'est affirmer que la relation de l'homme à la nature, relation par laquelle simultanément il apprend à maîtriser les forces naturelles et crée ses propres conditions de vie, est la relation décisive. La fin de l'homme est de dominer le monde, de devenir maître et possesseur de l'univers. Le travail est l'activité par laquelle l'homme accomplit sa vocation en humanisant la nature. C'est la formule célèbre d'*Économie Politique et Philosophie* : « Toute la prétendue histoire du monde n'est rien d'autre que la production de l'homme par le travail humain. »

secondaires, et cela d'autant plus que l'homme, dont le cerveau a conçu un plan de travail a pu, et cela dès un stade assez primitif de l'évolution sociale (dans la famille par exemple), faire exécuter ce travail par des mains autres que les siennes. C'est à la tête, c'est au développement et à l'activité du cerveau qu'on attribua tout le mérite de la civilisation ; les hommes s'habituèrent à expliquer leur activité par la pensée, au lieu de l'expliquer par leurs besoins (reflétés dans le cerveau et devenus conscients), et c'est ainsi que naquit cette conception idéaliste du monde qui a régné sur les esprits depuis la chute du monde antique » (Engels, *Du Rôle du travail dans l'hominisation des singes*).

Et Marx a bien reconnu que telle était déjà la position hégélienne — cette position si souvent négligée par les commentateurs et si remarquablement mise en lumière par Kojève — puisqu'il a félicité Hegel d'avoir découvert dans le travail *l'acte par lequel l'homme se produit lui-même.* L'humanité par un progrès constant s'empare du monde. Seules les injustices sociales empêchent que tous les hommes profitent de cette maîtrise. Mais lorsque la Cité sans classe sera édifiée, lorsque la Cité socialiste sera construite il n'y aura plus aucune opposition entre les hommes, puisqu'ils se seront tous unis dans un travail négateur — c'est-à-dire triomphateur — du monde. Le travail est libération, puisque pour l'humanité il est création de soi par soi. C'est en luttant contre le monde que l'homme crée son humanité. La vérité elle-même n'est point objet de contemplation, mais résulte du travail humain. « La question de savoir si la pensée humaine peut accéder à une vérité objective n'est pas une question du domaine de la théorie, mais de la pratique », affirme la seconde thèse sur Feuerbach. Ce qui éclaire la signification profonde de l'athéisme marxiste. Dire que la religion est l'*opium du peuple* reste en somme une critique sociologique, dont bien des penseurs religieux ont dû eux-mêmes reconnaître la fréquente vérité de fait. Ce n'est en tout cas point par là que l'athéisme est radical. Mais voir dans le travail une auto-création absolue, *ne* concevoir le destin de l'homme *que* dans son rapport avec la nature et les autres hommes, refuser de voir dans l'activité laborieuse une œuvre libératrice nécessaire sans doute, mais introductrice aussi à une destinée plus haute, c'est fonder l'athéisme sur un immanentisme sans ouverture. C'est l'affirmation de l'indépendance ultime de l'humanité et, si l'on ose dire, de son aséité qui donne à l'athéisme marxiste son sens profond. Là encore il suffit de savoir lire les textes : « Un être quelconque n'est indépendant à ses propres yeux que lorsqu'il se suffit à lui-même et il ne se suffit que s'il ne doit son

existence qu'à lui-même. Un homme qui vit par la grâce
d'un autre homme, se considère comme un être dépendant.
Mais je vis complètement par la grâce d'un autre quand,
non seulement je lui dois la conservation de ma vie, mais
quand il a en outre créé ma vie quand il en est la source ;
ma vie a nécessairement une telle source en dehors de moi
si elle n'est pas ma création propre. C'est pourquoi il est
si difficile de chasser de la conscience populaire l'idée de
création... Pour l'homme socialiste (au contraire) toute
l'histoire universelle n'étant pas autre chose que la pro-
création de l'homme par le travail humain, que le devenir
de la nature pour l'homme, il possède la preuve visible et
irréfutable de son enfantement par soi-même, du processus
de sa création. »

Ce qui importe en effet pour l'homme marxiste c'est
moins la lointaine réalisation, qui deviendrait alors une
sorte d'idéal ou même de mythe, que l'effort présent par
lequel on y tend. Marx distingue deux périodes, celle de la
dictature du prolétariat où sera appliquée la formule :
A chacun selon ses œuvres, et la période véritablement
communiste, où règnera l'abondance et où prévaudra la
formule : *A chacun selon ses besoins*. Mais avant d'en arriver
à celle-ci l'édification du socialisme demandera un immense
effort. Aussi faut-il dire que pour les temps actuels la mentalité communiste est essentiellement de travail et de production : le réflexe de l'homme marxiste est un réflexe
laborieux. Mais le travail doit être organisé et orienté :
l'économie communiste est une économie dirigée, planifiée,
qui se soucie non plus de poursuivre le profit, comme en
régime capitaliste, mais de satisfaire par priorité les besoins
humains les plus fondamentaux. Ainsi tout en blâmant la
Commune de Paris, qui lui paraissait prématurée, Marx la
félicita d'avoir banni le luxe : « Quelle merveille certes que
le changement opéré par la Commune de Paris ! Plus la
moindre trace du Paris courtisanesque du Second Empire.
Paris n'était plus le rendez-vous des propriétaires fonciers

britanniques, des Irlandais par procuration, des ex-négriers et munitionnaires enrichis d'Amérique, des ex-propriétaires de serfs russes et des boyards slovaques. » Et il paraît indéniable que si les chefs communistes français ont invité inlassablement à la production depuis la Libération, c'est dans un but analogue : afin que la France reste indépendante de l'Amérique et ne devienne pas tout entière une sorte de pays courtisanesque qui, incapable de se suffire par son travail, ne vivrait plus que du tourisme et du luxe d'étrangers enrichis. On se tromperait donc du tout au tout en voyant dans le marxisme une revendication égalitaire. Marx a toujours stigmatisé, comme des manifestations d'égoïsme, l'individualisme et les idées dérivées de la Révolution française. On ne peut distinguer l'homme et le citoyen et, tant qu'on n'est pas parvenu au communisme intégral, c'est-à-dire tant que subsiste l'État, les prétendus droits de l'homme sont toujours en fait ceux qu'a le citoyen de tel État. Mais il nous faut insister sur cette critique de la *démocratie formelle* puisque c'est en opposition à elle que se définira la *démocratie réelle* ou communisme de Marx.

La démocratie formelle ou libérale, telle qu'elle est issue de la Révolution française, laisse subsister la distinction de l'État et de la Société civile. La liberté, l'égalité et la fraternité n'y sont qu'abstraites ; elles valent dans l'empyrée de la politique, mais non dans la réalité sociale et économique. L'individu concret de la Société civile, le travailleur est séparé du ciel de la politique comme le croyant de son Dieu. Dans ces conditions, chaque homme mène une vie double, une vie politique en tant que membre de l'État, en tant que citoyen et une vie privée en tant que membre de la Société. Comme citoyen il a des droits dont il ne peut jouir, qui sont aliénés dans l'État ; comme individu concret il est réellement esclave. Dans la Société l'homme, en tant que personne privée, mène une existence qui ne correspond pas à son essence, il ne conforme son existence à son essence que dans l'État, mais il y vit d'une vie imaginaire.

En d'autres termes, après comme avant la Déclaration des
Droits de l'Homme, l'individu réel reste dans la Société ce
qu'il est, riche ou pauvre, propriétaire ou salarié, assuré du
lendemain ou toujours à la veille de mourir. Dans le ciel de
l'État l'égalité, la liberté, la fraternité, la propriété lui sont
bien promises, mais ce n'est là que l'illusion caractéristique
de l'aliénation qui consolide celle-ci plutôt qu'elle ne la
supprime. Et il en sera ainsi tant qu'il y aura un État
puisque l'État est nécessairement au service de la classe la
plus forte. Si le prolétariat doit s'emparer de l'État, c'est
pour exercer temporairement une dictature qui détruira
tous les vestiges de l'ancien régime et édifiera peu à peu le
socialisme par la destruction des classes : l'État étant l'instrument par lequel la classe la plus puissante exerce son
pouvoir disparaîtra avec la distinction des classes (1). En

_____

(1) En un sens la dictature du prolétariat établit bien une forme de démocratie, si l'on nomme ainsi le régime où la minorité subit la loi de la majorité.
Mais précisément cette sorte de démocratie implique encore la contrainte éta-
tique : l'État y subsiste au profit du prolétariat. Aussi la fonction propre de
cette période transitoire est-elle de rendre peu à peu l'État inutile, en réalisant
la perfection de la sociabilité humaine, c'est-à-dire en faisant des conditions
fondamentales de la vie sociale des habitudes invétérées et presque des réflexes
de chacun. Alors, comme il n'y aura plus d'opposition de classes, disparaîtra
aussi la distinction de la Société et de l'État. C'est ce que Lénine affirme clairement en commentant Marx : « Notre but final, c'est la suppression de l'État,
c'est-à-dire de toute violence organisée et systématique, de toute contrainte
envers les hommes en général. Nous ne souhaitons pas l'avènement d'un ordre
social où le principe que la minorité doit se soumettre à la majorité tomberait
en désuétude. Mais dans notre aspiration au socialisme, nous avons la convic-
tion qu'il prendra la forme du communisme et que par suite disparaîtra toute
nécessité de recourir à la violence contre les hommes, à la soumission d'un
homme à un autre, d'une partie de la population à une autre : les hommes en
effet s'habitueront à observer les conditions élémentaires de la vie sociale,
sans contrainte et sans subordination. » Signalons au moins la vive discussion
surgie entre communistes ces temps derniers. Plusieurs espèrent supprimer le
stade de la *dictature du prolétariat* et le remplacer par celui de la *démocratie
populaire*. La politique de *démocratie populaire* est en somme celle des *Fronts
Nationaux*, où communistes et prolétaires sont bien au pouvoir, mais avec
d'autres démocrates représentant les classes moyennes et intellectuelles, ou
même les sans-parti. « La démocratie populaire n'est ni socialiste ni soviétique.
Elle est le passage de la démocratie au socialisme. Elle crée les conditions favo-
rables au développement du socialisme par un processus de luttes et de travail.
Chaque pays passera au socialisme par sa propre voie. L'avantage de la démocratie populaire, c'est que ce passage est rendu possible sans dictature du
prolétariat. Un tel résultat est dû à l'exemple de l'Union Soviétique et aux

somme *le marxisme se propose de supprimer la dualité du
social et du politique, de l'homme privé et du citoyen : sa fin
est l'absorption de l'État dans la Société, cette société se transformant elle-même pour ne plus se perdre dans l'atomisme
individualiste.* On pourrait dire que l'anarchisme est vrai à
la limite, que, particulièrement dangereux tant que subsiste la distinction des classes, il réalise cependant la vérité
de l'homme au dernier stade de l'évolution. En tout cas, et
en attendant, le travail et la production seront la loi du
monde et dans l'État prolétarien l'égalité ne consistera qu'en
ceci, que le travail sera l'unique mesure de la valeur des
hommes. « Le droit du producteur, écrit Marx, est propor-
tionnel au travail qu'il a fourni ; l'égalité consiste ici dans
l'emploi du travail comme unité commune. Mais un individu l'emporte physiquement et moralement sur un autre,
il fournit donc dans le même temps plus de travail ou peut
travailler plus de temps, et le travail, pour servir de mesure,
doit avoir sa durée ou son intensité précisée, sinon il cesse-
rait d'être unité. Ce droit égal est un droit inégal pour un
travail inégal. Il ne reconnaît aucune distinction de classe,
parce que tout homme n'est qu'un travailleur comme un
autre, mais il reconnaît tacitement l'inégalité des dons
individuels et, par suite, des capacités productives comme
des privilèges naturels. C'est donc, dans sa teneur, un droit
fondé sur l'inégalité, comme tout droit (1). »

leçons de toutes les luttes menées dans le monde par le prolétariat. Le passage
de la démocratie au socialisme n'est pas une chose douce. Il ne suit pas une
voie paisible. mais une voie abrupte, marquée par beaucoup d'obstacles. Sans
lutte, il n'y aura pas de résultats. Si la démocratie populaire reste sur place ou
recule, elle amène la réaction ou le fascisme (Dimitrov). » Ainsi, suivant une
comparaison souvent employée par les communistes, après la Révolution
Française et grâce à elle, il a été possible à beaucoup de pays d'accéder à la
société bourgeoise sans employer les mêmes moyens que la France.

(1) Cf. Maurice Thorez : « La société sans classes n'est pas le nivellement de
la société. L'idéal social des communistes n'est pas l'égalitarisme. Les individus
sont inégaux. Ils naissent avec une constitution et des aptitudes biologiques
et psychologiques inégales. Mais dans les sociétés capitalistes, les individus ne
bénéficient pas d'une chance égale pour le développement de leur personnalité.
La société ne fait rien pour l'épanouissement de la majorité des individus. Elle
écrase au contraire cette majorité, elle piétine les individus appartenant aux

Qu'au surplus les droits un jour disparaîtront, ou plutôt se confondront avec les besoins, c'est bien la fin que poursuit le marxisme. Nul, nous le savons, n'a comme lui foi en l'homme. Et si la tâche est rude, il est à chaque instant soutenu par une immense espérance. « L'être humain, dit Marx, n'est pas une abstraction inhérente à l'individu. Dans sa réalité, c'est l'ensemble des rapports sociaux. » Tandis que Hegel fait de l'homme l'homme de la conscience, Marx fait de la conscience la conscience de l'homme, de l'homme réel qui est ses rapports sociaux. Ce sont donc ces rapports sociaux qu'il faut faire passer de la guerre à la paix pour transformer la conscience de chacun de conscience aliénée en conscience réelle. L'homme marxiste est doublement ouvrier : ouvrier de socialisation perpétuelle de l'humanité, ouvrier de transformation continue de la nature. Et ce double travail n'en fait qu'un, puisque c'est par le même effort et dans la même œuvre que la nature s'humanise et que l'homme s'universalise. Construire le communisme, c'est *identifier* l'homme aussi bien à la Nature qu'à l'Humanité. « Ainsi, a écrit Marx, la société est l'unité essentielle et accomplie de l'homme et de la nature, la véritable résurrection de la nature, le naturalisme accompli de l'homme et

classes exploitées, c'est-à-dire à l'immense majorité des individus. L'inégalité des classes est la seule inégalité que les communistes veulent supprimer. Les communistes veulent supprimer non pas l'inégalité individuelle, mais l'inégalité sociale. La suppression de la division de la société en classes, la suppression de l'inégalité des classes libérera l'individu et permettra d'assurer à sa personnalité le maximum de développement. Rien n'est plus étranger aux communistes que l'homme standardisé. L'idéal humain des communistes, c'est l'homme libre développant sa personnalité originale dans une société libre. » Rien de plus opposé à une telle attitude que la passion égalitaire du proud'honisme. Aussi Marx traitait-il Proudhon de *petit bourgeois*. « Le marxisme n'a jamais été égalitaire : s'il veut donner une égalité, c'est l'égalité des classes, c'est l'égalité au point de départ, l'égalité pour le développement des inégalités légitimes et inévitables. S'il veut supprimer certaines inégalités, ce sont les inégalités que la société capitaliste introduit dans le libre jeu des vocations et des ambitions légitimes. Dans l'égalitarisme qui fut le trait dominant de certaines théories socialistes comme celle de Proudhon, nous voyons l'idéal du petit propriétaire partageur. Le marxisme se donne pour tâche de fonder une société où la propriété des moyens de production sera commune, et non point partagée. » (Pierre Hervé, *L'Homme marxiste*, p. 100-1).

l'humanisme accompli de la nature. » Ce qui empêche
l'homme de réaliser son essence, ce sont les puissances
étrangères, issues de lui et qui se sont retournées contre lui :
elles troublent la transparence de ses relations avec les
autres. Il faut les résoudre à nouveau en l'homme. Ainsi les
faits économiques ont certes une redoutable objectivité ;
ils pèsent de tout leur poids sur les prolétaires. Mais si l'on
comprend que les lois de l'économie bourgeoise ne sont pas
plus éternelles que celles de l'économie féodale, qu'elles
sont elles aussi relatives à un stade historique ; que la
valeur n'est point une réalité en soi, immanente aux choses
et qui s'impose du dehors à l'homme, mais le produit même
de son activité sociale et qui ne le tyrannise qu'autant qu'il
renonce à le maîtriser ; que l'argent enfin n'est pas un
fétiche qu'il faut adorer, mais un simple « rapport social »
on reprend espoir et l'on découvre que l'histoire de l'homme
dépend de l'homme même. On découvre surtout que
toutes ces contradictions, issues de l'homme, dépendent de
lui et pourront être résorbées — que le monde lui-même ne
sera plus qu'un docile instrument entre les mains de l'humanité pacifiée.

Alors chacun ne pourra qu'échanger amour contre
amour et confiance contre confiance. Il ne serait sans doute
pas faux de dire que le but définitivement visé par le
marxisme est celui de la *réciprocité totale des consciences*.
Les antinomies de la préhistoire de l'homme font la conscience malheureuse. « Chacun de tes rapports avec l'homme
et avec la nature, écrit Marx, doit être une manifestation
déterminée et correspondant à l'objet de ta volonté de la
réalité individuelle. Si tu aimes sans provoquer un retour
d'amour, c'est-à-dire si ton amour en tant qu'amour ne
produit pas l'amour en retour, si en manifestant ta vie en
tant qu'homme aimant tu ne fais pas de toi un homme aimé,
ton amour est impuissant, il est un malheur. » Dire que le
monde communiste est le terme des contradictions, la fin
des aliénations, c'est donc affirmer qu'il est celui de la réci-

procité de l'amour et par conséquent de la conscience
heureuse. Il y a en effet le bonheur imaginaire qui vient de
l'oubli de l'aliénation et de la fuite dans le transcendant,
mais il y a aussi la joie authentique et toujours renouvelée
qui naît pour chaque homme de la parfaite translucidité des
consciences. La révolution est le saut de la nécessité dans la
liberté. C'est que la liberté véritable n'est point pour le
communiste de refus et d'opposition, mais d'adhésion. La
société apparaît toujours plus ou moins extérieure à
l'homme ; aussi revêt-elle pour lui un aspect de contrainte.
Être libre, c'est pouvoir échapper au social, c'est trouver en
soi un refuge intime et comme un sanctuaire intérieur.
Attitude de protestation individualiste qui correspond
encore au stade de l'aliénation. Lorsque l'essence de
l'homme se réalise dans son existence, cette opposition
entre l'individuel et le collectif disparaît : être libre, c'est
réaliser pleinement une personnalité qui est essentiellement
communautaire, qui n'existe que dans sa totale réciprocité
avec les autres. Dans le communisme l'intégration de
l'individu à la société est telle que liberté individuelle et
nécessité sociale coïncident. Appuyé sur une histoire qui
l'assure parce qu'elle est une réalité déterminée, justifiée en
raison, sur laquelle il fonde son effort, confiant dans ce
mouvement même de l'humanité qui ne peut pas ne pas
détruire les contradictions dont elle prend conscience,
l'homme marxiste a le double sentiment de participer au
grandiose devenir historique des hommes et d'y participer
librement, parce qu'il le connaît et le veut. Comment se
sentirait-il inhumain, puisqu'il a conscience d'être la
conquête de l'humanité ? Comment pourrait-il croire
immoral un combat qui est pour lui celui de la délivrance et
de la libération de l'homme ? Car malgré tous les change-
ments de tactique, nécessités par les circonstances, la fin
lui est toujours présente : à travers les *programmes* les plus
variés, l'*intention* communiste demeure toujours identique.
Dans cette guerre totale qu'il mène pour la destruction de

l'inhumain et l'accomplissement de l'humain, le marxiste
est un homme de haine et d'amour qui ne lutte pas seulement pour des lendemains qui chantent, mais qui crée déjà
en lui et autour de lui cet homme nouveau d'Affirmation
intégrale par la négation de toutes les négations et la
contradiction de toutes les contradictions, afin de réaliser
l'unité avec la nature et la pleine communauté avec les
autres hommes.

Tel est l'homme marxiste, toujours pensant et agissant,
participant librement à une dialectique de la nécessité.
S'il a tellement d'action c'est que sa mentalité est celle
même de l'ouvrier qui, quelles que soient ses idées philosophiques et religieuses, se *sent* aliéné, exploité et aspire à la
libération et à la délivrance ; ce ne sont pas les masses qui
ont compris le marxisme, c'est le génie de Marx qui les
a devinées. Le monde gris, mécanique, déterminé du
marxisme, le prolétaire le vit tous les jours, en vit tous les
jours dans les usines et les quartiers miséreux où la concen-
tration urbaine l'exile. Comprendre l'homme marxiste, c'est
d'abord comprendre les conditions inhumaines de la vie
ouvrière et sans doute le seul moyen de le supprimer serait-il
de supprimer ces conditions mêmes. Si le marxisme est la
philosophie immanente du prolétariat, la pire erreur et la
pire violence seraient de vouloir le détruire en laissant
subsister la condition prolétarienne. Et le problème ici
posé n'est pas de bonne volonté, mais d'efficacité. Se donner
bonne conscience en plaignant la situation ouvrière et lutter
matériellement contre le communisme en se contentant
d'une condamnation *morale* du capitalisme est la définition
même du pharisaïsme d'aujourd'hui. Ce qui caractérise le
marxisme c'est son réalisme : il pourchasse les subtilités
et hypocrisies de la vie intérieure, il décrasse l'esprit. Il
considère l'humanité dans sa réalité concrète, aux prises

avec le monde extérieur et le milieu social. L'histoire est l'ambiance réelle dans laquelle l'homme évolue, se développe et parvient à la connaissance de plus en plus parfaite de son être véritable. Mais l'histoire à son tour n'est qu'un des compartiments de la nature, de la réalité universelle au sein de laquelle se déroule le processus historique. Si bien qu'une philosophie de l'histoire séparée de la nature est aussi inconcevable qu'une philosophie de la nature séparée de l'histoire. C'est ce qui fait que chez Marx le matérialisme historique s'associe au matérialisme dialectique pour former la base d'une conception philosophique de la réalité totale.

Mais une grave difficulté subsiste : peut-on s'en tenir à une dialectique historique ? Ou, plus précisément, une dialectique purement historique n'arriverait-elle pas à se détruire et à se dévorer elle-même en perdant tout sens et toute signification ? Si la contradiction est le moteur même du progrès, comment peut-on concevoir ici-bas une humanité d'où elle aurait disparu ? Une philos ophie de l'intui tion pure, du *Oui* intégral serait une philosophie de l'éternité, mais une philosophie dialectique est une philosophie qui admet que le *Non* est immanent au *Oui*, est une philosophie de la durée. C'est la négativité qui fait l'historicité. En un sens dialectique, temps et histoire sont termes identiques. Si l'homme est un être temporel et historique, c'est qu'il ne conquiert le *Oui* qu'à travers de multiples contradictions, qu'il n'atteint jamais l'Affirmation que par la médiation de négations toujours renaissantes. Il est vrai que l'esprit humain vit dans un *climat d'affirmation*, ce qui signifie qu'il y a une présence de l'éternité dans le temps ; mais la saisie à part de l'intuition pure et de l'affirmation intégrale, c'est-à-dire de l'éternité, ne peut être que la *fin de l'histoire*. Ou peut-être faudrait-il distinguer *histoire* et *historicité*. La fin de l'histoire implique évidemment la fin de l'aliénation de l'homme et la réalisation de son essence vraie, ce qui ne peut se faire sans un passage d'un stade naturel à un stade supra-naturel. Mais dans ce nouveau stade l'homme ne serait plus homme si ne subsistait en lui un certain devenir, orienté certes, mais encore en un sens temporel. Pour un être fini l'idée d'une éternité sans aucune temporalité est inconcevable : l'homme n'est pas éternel, mais temporel. Et s'il existe une sorte d'au delà de l'histoire, il implique certes une transformation, une véritable transfiguration et métamorphose que l'homme ne peut se donner lui-même, mais il faut bien qu'il conserve encore un certain caractère d'historicité, sans quoi il n'aurait plus rien d'humain. L'intuition pure, l'homme en son centre d'aspiration et d'inspiration ineffables est ce que Pascal appelait le cœur. Ce cœur pascalien est en somme la Raison dans ses profondeurs et son pouvoir libérateur, dans sa source ultime : en lui-même il est inaccessible. Aussi doit-il toujours s'incarner dans un verbe, dans un *logos* qui le traduit et le trahit à la fois, qui lui donne une suite indéfinie d'expressions approchées : *en ce sens la raison est le discours du cœur.* C'est affirmer que la raison humaine, si elle s'accroche à l'éternité, est nécessairement historique : dire que notre connaissance est discursive, c'est dire qu'elle est temporelle ; dire que le discours se suspend à l'intuition et l'exprime, c'est dire qu'il a aussi référence à l'éternité. Mais la pleine possession de l'homme par lui-même, sa *présence totale* à lui-même est impossible, puisqu'elle suppose un esprit infini. Et la durée n'est pas autre chose que cette distance de soi à soi qui suppose cependant une sorte de présence originaire à soi-même. Pour être définitivement orienté et pour ainsi dire fixé dans le sens de sa marche un devenir trans-historique n'en comprendrait pas moins un certain caractère temporel.

En tout cas lutter contre ses aliénations est bien la tâche positive de l'humanité ici-bas ; mais précisément comment supposer que l'humanité puisse demeurer ici-bas, c'est-à-dire dans ce monde de tâches, une fois que cette lutte aurait cessé ? Si la durée est proprement ce rythme

d'affirmations et de négations mû par une affirmation plus
haute qui fait sentir son appel, si elle est l'ensemble de ce
mouvement dialectique de positions et d'oppositions en
quête continue d'une position plus élevée qui sera dépassée
à son tour, il n'est pas possible de concevoir comme étant
encore temporel un être chez qui toute négativité aurait
disparu. Le marxisme oscille nécessairement entre l'affirmation de la disparition des aliénations, qui entraînerait la
fin de l'histoire, et l'affirmation de la continuation indéfinie de l'histoire, qui impliquerait la subsistance des aliénations : il propose comme immanent à l'histoire un idéal
manifestement trans-historique, un idéal tellement au-
dessus de l'homme qu'il ne réclame pas seulement une
médiation continue, mais l'intervention abrupte d'un
Médiateur. C'est cette confusion, qu'on retrouve déjà chez
Hegel, qui a provoqué la profonde objection de Kierkegaard : « le hégélianisme, disait-il, c'est l'identité du jugement
dernier et de l'histoire, mais pour nous, chrétiens, le jugement dernier juge l'histoire ». Du marxisme aussi on pourrait
dire qu'il est une véritable théodicée — entendons que pour
lui c'est l'histoire même qui est le jugement de Dieu. C'est
ce qu'exprime très précisément la formule — terrible —
d'un communiste aussi remarquable que Lukacs dans
Marxisme ou Existentialisme : ce sont, dit-il « le contenu
objectif et la direction réelle de l'histoire qui déterminent si
le caractère des personnages agissant historiquement est
héroïque ou ignoble ». Par là éclate l'ambiguïté de l'expression *sens de l'histoire*. En une première signification avoir
le sens de l'histoire c'est être capable de prononcer des
jugements historiques, immanents au devenir : on peut
dire alors que la Révolution française, la démocratie, le
marxisme, etc., ont été ou vont dans le sens de l'histoire. Il
s'agit de jugements de fait qui relèvent de la constatation
historique. Il est même possible, avec plus ou moins de
chances d'erreur, d'extrapoler à partir des conditions pré-
sentes, de faire une sorte de « conjecture sur la conjoncture »

et de tenter de prévoir en quel sens s'orientera en fait
l'histoire dans les prochaines années. De ce point de vue les
marxistes ont généralement le sens de l'histoire. Mais en
une autre signification, plus essentielle, le sens de l'histoire
permet de prononcer, non plus seulement des *jugements
historiques*, mais des *jugements sur l'histoire*, c'est-à-dire
transcendants au devenir. Il est clair en effet qu'on ne peut
faire reposer un jugement de valeur sur un jugement de
réalité et que si l'on juge le caractère « héroïque ou ignoble »
d'un homme, cela ne peut se faire que par référence à une
norme transcendante. Ce n'est point le jugement historique,
mais le jugement sur l'histoire qui s'efforce d'être le jugement de Dieu — et bien entendu avec toutes les chances
d'erreurs humaines. Et toute la difficulté pour l'individu
est d'orienter à chaque instant son action en tenant compte
à la fois et des faits qui conditionnent son engagement et
des valeurs qui doivent l'orienter.

Encore faut-il bien s'entendre sur ces notions de transcendance et d'éternité. Toute notre méthode suppose *pour
l'homme* une liaison indissoluble entre transcendance et
immanence, éternité et temps. C'est pour cela que nous
distinguons les notions d'histoire *stricto sensu* et d'historicité. Si nous concevons pour l'homme une fin de son histoire terrestre, nous ne concevons aucunement la fin de
toute *historicité* humaine. Ce qui signifie que le véritable
transcendant n'est pas le dernier chaînon et comme le
terme ultime de l'explication, mais ce qui donne son sens à
l'ensemble de l'explication. On pourrait supposer, si l'on
veut dans l'hypothèse marxiste, une humanité qui aurait
complètement compris et dominé le monde, et cependant
ne serait pas satisfaite : l'absurde, a-t-on dit, est ce qui
serait totalement expliqué, mais n'aurait pas de sens. Bien
entendu ce n'est qu'à la limite qu'on peut faire une telle
hypothèse, et en se plaçant au point de vue de l'adversaire :
car le propre de l'explication est précisément de ne pouvoir
se boucler sur soi. De plus ce n'est aussi que par abstraction

que l'on peut distinguer explication et sens : la signification
et le sens sont toujours présents à l'explication, comme
l'intuition au discours et, puisqu'il y a divers types d'explications, plus l'explication est élevée et porte sur la connaissance de l'homme, plus elle exige un sens. Mais cette exigence de sens est précisément une aspiration — la transcendance n'est point un état, mais, comme le mot l'indique,
un *mouvement vers*. Bien qu'elles s'appellent réciproquement
et, pour nous du moins, s'impliquent mutuellement, il
ne faut donc pas mettre transcendance et immanence sur le
même plan : la seconde aspire à la première comme à ce qui
la fonde dans l'être et lui donne son orientation. Ce que
nous appelons proprement histoire n'est pas autre chose que
le choix pour notre vie d'un sens et d'une signification — ou
le refus de tout sens. Mais l'historicité n'en subsisterait pas
moins, quoique d'une manière radicalement différente, chez
un être qui aurait opté définitivement pour que la valeur
fonde son existence et lui permette ainsi de signifier. Il
n'y a pas alternance de l'immanent et du transcendant,
mais présence dans l'immanent d'un transcendant qui
prend pour nous figure d'absolu sous les deux formes où il
se manifeste : la nécessité logique et l'obligation morale.
C'est en ce sens qu'on peut dire communément que se
refuser à la vérité ou au devoir c'est choisir le relatif, les
accepter au contraire parier pour l'absolu. Si bien que le
transcendant, dans sa réalisation immanente, si l'on peut
dire, n'est pas autre chose que ce mouvement continu par
lequel je me fais vrai, par lequel je me fais juste. Aussi
s'agit-il moins de déboucher dans l'éternité au delà du
temps que de comprendre que le temps n'a de signification
que par la présence en lui de l'éternel : si nous comprenons
le temps et sommes capables de le dominer tout en vivant
de lui, c'est que nous le dépassons. Et nous ne serions même
pas capables de saisir une phrase, voire un mot, si nous ne
pouvions unifier synthétiquement sous le regard de notre
conscience les syllabes ou les termes qui sont successive-

ment prononcés. Ainsi de l'histoire : elle perdrait tout sens si l'humanité n'était capable de la transcender, ce qui ne veut pas dire s'en évader, mais au contraire lui reconnaître sa plénitude. Il n'y aurait pas d'histoire pour un être purement historique.

Il semble qu'une dialectique purement temporelle, comme la dialectique marxiste, soit acculée à une contradiction interne : il lui faut donner comme but de l'histoire la fin de l'historicité, comme finalité temporelle l'arrêt de la dialectique. Ou alors il n'y a plus qu'une dialectique indéfinie, sans terme et sans signification, aussi vide qu'un discours vidé de toute intuition. Ce qu'il y a de plus profond dans l'histoire spirituelle de l'humanité c'est la compréhension du signe, et toute grande philosophie est une séméiologie : découvrir le chiffre du monde et pouvoir ainsi en révéler le langage, tel est l'objet du désir fondamental de l'homme. Et la mystique sans doute est d'abord sens des signes. Le marxisme, lui, en vidant l'individu de son intériorité et le monde de son mystère, compromet sa propre recherche : il est une philosophie de la non-signification et, littéralement, du non-sens. Seule une dialectique plus complète, une dialectique de l'immanence et de la transcendance, du temps et de l'éternité permet de sauver la totale historicité de l'homme tout en donnant à son histoire terrestre un terme, qui ne soit pas une mort, mais une résurrection. La dialectique temporelle ne peut aboutir qu'à une course éperdue, une sorte de halètement après l'être où l'avenir est toujours privilégié par rapport au présent et surtout au passé ; seule une eschatologie peut sauver intégralement tous les moments du temps et conférer à chacun sa plénitude. « On a déjà dit, écrivait Berdiaeff, que l'histoire du monde et celle de l'humanité n'ont de sens que si elles doivent s'achever. Une histoire sans fin serait absurde. Et si une histoire de ce genre manifestait un progrès ininterrompu, ce progrès ne serait pas acceptable, parce qu'il signifierait une transformation de tout ce qui a vécu, de tout ce qui est vivant et de tout ce qui est appelé à vivre dans l'avenir, une transformation de toute génération vivante en moyen pour les générations futures, et ainsi à l'infini. Tout ce qui est actuel se trouve être un moyen pour l'avenir. Un progrès infini, un processus infini signifie le triomphe de la mort. Seule la résurrection de tout ce qui est vivant peut donner un sens au processus historique du monde, un sens qui a une mesure commune avec le destin de la personne. » Il ne s'agit en somme ni d'isoler tellement une transcendance qu'on lui refuse tout contenu intelligible ni de la rendre homogène à l'explication en la réduisant à l'état de dernier chaînon, mais d'en dégager le sens en œuvrant dans un monde qui permet à l'humanité de se faire en choisissant son destin, en réalisant une histoire qui perdrait toute signification si elle n'était intégralement ouverte à l'éternité. Il y a moins à réfuter le marxisme qu'à lui demander de reconnaître ce sans quoi son intention profonde ne saurait se réaliser.

Chapitre II

SYSTÈME ET EXISTENCE

Le problème que pose le marxisme est celui même de la condition humaine : l'homme n'a-t-il qu'une référence à l'histoire, comme le pensent les communistes ? N'est-il pas plutôt un être double et contradictoire qui a référence à la fois au temps et à l'éternité ? Pour Marx en somme la philosophie n'aurait qu'à disparaître à la limite, au moins en tant que dogmatique : si elle se propose avant tout de transformer le monde, elle n'a plus besoin de système, mais se contente d'une méthode qui admet à chaque instant les seules hypothèses qui sont nécessaires à son action. Le marxisme, dans son interprétation la plus profonde, n'est sans doute pas scientiste : il consiste moins à faire de l'histoire une science qu'à faire de toute science une histoire. L'existentialisme de son côté se défie de toute connaissance qui prétendrait échapper à la condition humaine : il étudie l'être-en-situation. Il y a chez lui une étrange dépréciation de la connaissance objective : l'historien et le philosophe lui-même sont situés, ils ne sauraient échapper à la temporalité et juger du point de vue de Sirius. Dans cette philosophie du sujet, qui ne veut connaître l'objet que comme point d'application de l'effort de l'homme, la liberté créatrice et individuelle est, si l'on peut dire, le seul principe d'explication. Pour Sartre des hommes seuls, avec leurs libertés incommunicables, luttent dans un monde dépourvu de toute espèce de finalité ou de rationalité : faute d'une philosophie de l'histoire, tout à chaque instant est entièrement remis en question. Le monde n'a d'autre sens que

celui que lui donne chaque individu pour lui-même à chaque
instant par son *projet* temporel. Merleau-Ponty est plus
marxiste : c'est même à Marx qu'il emprunte sa philosophie
de l'histoire, sans qu'on voie toujours bien comment elle
s'accorde avec sa position existentialiste. C'est à cause de
celle-ci cependant qu'il se réserve, n'étant pas sûr que la
révolution réussisse, car les prolétaires peuvent ne pas
répondre à l'appel de Marx. Pour Merleau-Ponty comme
pour Sartre il y a donc une indétermination de l'histoire ;
mais tandis que chez Sartre elle est éparpillée sur l'universalité des hommes, d'après Merleau-Ponty il s'agit seulement de savoir si le prolétariat réalisera la mission que lui a
confiée Marx. De toutes façons on ne sort jamais de l'histoire. Le marxisme est plus objectif, trouvant son point
d'appui en la marche même de l'humanité ; l'existentialisme
est plus subjectif, laissant le soin à la liberté de l'individu
de choisir à chaque instant son essence et de réaliser son
destin. Mais l'un et l'autre ne pensent d'aucune façon
pouvoir échapper au temps et le dominer : le système,
quand il y en a un, n'est que moyen d'action de l'individu
existant ou événement de sa vie psychique. C'est ce que ne
saurait accepter le personnalisme, sans se renoncer. Que le
système soit instrument aux mains de l'homme dans la
situation où il se trouve, c'est ce qui est certain et nous
aurons l'occasion de le redire, mais cet instrument, pour
être efficace, doit avoir rapport à une vérité intemporelle.

Si donc la philosophie s'est toujours distinguée de la
science en ce qu'elle ne se contentait pas d'un simple savoir
théorique, d'une construction intellectuelle, mais exigeait
du philosophe une attitude pratique, une certaine manière
d'être et d'exister, impliquait en somme la notion de
sagesse, il n'en est pas moins vrai qu'elle n'a jamais pu se
réduire à une attitude et à une existence, et a dû sans cesse
édifier des systèmes. Lorsque Jean Wahl, cherchant des
tentatives semblables à celles de Jaspers et de Heidegger et
en un sens plus proches de l'existence, les a découvertes

chez Rimbaud ou Van Gogh, il les a lui-même présentées
comme « sources de philosophie » plutôt que comme philosophies. Et Gabriel Marcel, qui a cependant tant critiqué
la notion de système, constatait qu'il n'y a pas de philosophie sans « un effort pour expliciter ses propres postulats ».
Mais qu'est-ce que l'explicitation de postulats sinon un
examen rationnel pour établir leur non-contradiction,
voire leur liaison nécessaire, définir leurs rapports avec ce
qu'ils permettent de comprendre, les organiser en un tout
des vérités qui constitue un système ? Il y a une protestation perpétuelle de l'existant contre le systématisé ;
mais dès que l'existant veut philosopher, que fait-il sinon
systématiser, fût-ce l'existence ? Telle est sans doute
l'origine dialectique de la philosophie : *en deçà de toute
construction particulière elle est dialogue du système et de
l'existence.* Ce qui signifie que philosopher c'est faire dialoguer le temps et l'éternité. Le système et l'existence sont les
deux limites de la philosophie : le pur systématique comme
le simple existant sont en dehors d'elle, mais elle ne vit
que de leur opposition toujours renaissante.

Une critique radicale pourrait sans doute se demander
si la notion de système a jamais joué un rôle en philosophie,
si elle n'est pas une invention après coup de disciples qui
dépouillent une œuvre de tout ce qu'elle avait de fort et de
concret pour n'en garder que le squelette abstrait. La fixa-
tion de la pensée vivante en un système est, la plupart du
temps, l'œuvre des critiques plutôt que des auteurs eux-
mêmes. Mais une telle remarque doit mettre en garde contre
une interprétation superficielle de la notion de système
plutôt que contre la notion même : ce qui est faux ce n'est
pas de penser qu'il existe des systèmes, c'est de les réduire
à quelques généralités vagues. Les généralités ne sont pas
philosophiques, aimait à répéter Bergson après Ravaisson ;
elles ne sont pas davantage systématiques. Le système
authentique n'est pas la réduction de toutes les vérités à
quelques formules abstraites qui seraient censées les englo-

ber, mais l'organisation de l'ensemble de ces vérités en un tout cohérent. Un système philosophique n'est pas plus contenu dans quelques principes que le système des mathématiques n'est contenu dans les axiomes, postulats et définitions dont l'apprenti mathématicien s'imagine qu'il est déduit. C'est l'interdépendance des vérités qui les fait systématiques, et non leur degré de généralité. Le système ne peut pas plus être détaché du mouvement de pensée qui le fonde que ne peuvent l'être pour le chrétien les moyens de la fin, le chemin et la voie du but. Aussi la notion de système implique-t-elle unité et organisation, et le système vaut-il non seulement par le degré d'unification obtenue, mais par la richesse, l'abondance, la valeur des éléments organisés et unifiés. Hamelin définissait profondément le système « le tout formé par la fin et les moyens ».

En quoi donc consiste exactement le système, quels sont ses avantages et ses inconvénients et comment peut-il dialoguer avec l'existence pour constituer la philosophie ?

I

L'intérêt du système est double : intellectuel et esthétique. Intellectuel d'abord. Comprendre c'est unifier, et notre esprit est tel qu'il ne peut connaître sans systématiser. Or c'est en systématisant, c'est-à-dire en assignant à chaque terme sa place, que l'esprit a conscience de sa supériorité sur les choses et proprement les *comprend* en lui. Comprendre en effet c'est reconstruire rationnellement le réel à l'aide de concepts, c'est-à-dire systématiser. Pas de philosophie proprement dite si l'on ne suppose que le monde est intelligible : le principe de raison suffisante est l'hypothèse nécessaire du philosophe. Or cette supposition d'ordre n'est que la supposition d'un système. « Dès que l'on attend de la métaphysique une explication vraiment profonde de l'existence à tous ses degrés, écrivait Paul Decoster, on doit se préoccuper avant tout d'assurer la rigoureuse nécessité de cette explication. Et comme on entreprend de rendre compte de la totalité des choses, il apparaît qu'il ne peut y avoir nécessité que là où il y a tout d'abord système. » C'est une juste vue et profonde d'Auguste Comte qu'une explication même erronée, est nécessaire pour s'élever à une explication supérieure, qu'il faut une première unification pour s'élever à une autre. On a généralement mal compris la loi des trois états et le sens de l'explication théologique. Le problème de la connaissance — si l'on veut de la première connaissance — pose une difficulté apparemment insurmontable. Pas de théorie sans pratique, pas de pratique sans théorie. L'homme a besoin d'une théorie pour observer les faits ; il a besoin de faits pour construire une théorie. Il ne pourra échapper à ce dilemme et ne connaîtra jamais rien tant qu'il ne se décidera pas à trancher le nœud gordien de la connaissance et à *imaginer* une théorie qui lui permettra de saisir les faits. Quoi qu'en pense un empirisme à courte vue, l'homme ne commence pas à observer et à être perdu dans les choses, il projette bien plutôt son moi au dehors. D'abord livré à lui-même, l'esprit fabule, construit des fables qu'il confronte ensuite avec l'expérience. En d'autres termes, avant même toute observation, l'humanité primitive et l'enfant construisent des systèmes qu'on appelle *mythes*. La conception de l'état théologique est chez Comte une profonde théorie de l'imagination et du *mythe* : si l'homme arrive jamais à une connaissance, c'est qu'il est cet être qui construit d'abord des fables et les projette au-devant de l'expérience, qui commence par forger des images et des mythes avant toute observation, qui connaît en somme la réalité *tel qu'il est* avant de la connaître *telle qu'elle est*. « Le premier système est faux, écrit Bachelard dans *La Formation de l'esprit scientifique*. Il est faux, mais il a du moins l'utilité de décrocher la pensée en l'éloignant de la connaissance sensible ; le premier système mobilise la pensée. L'esprit constitué dans un système peut alors retourner à l'expérience avec

des pensées baroques, mais agressives, questionneuses,
avec une sorte d'ironie métaphysique bien sensible chez les
jeunes expérimentateurs, si sûrs d'eux-mêmes, si prêts à
observer le réel en fonction de leur théorie. » N'est-ce point
aussi ce que voulait signifier Kierkegaard lorsqu'il affir-
mait qu'on a toujours besoin d'une première lumière pour
en voir une seconde d'une façon précise ?

En dehors des systèmes il n'y a donc nul moyen de
penser, de se faire des conceptions réfléchies, en un mot de
connaître et de faire progresser la connaissance. C'est que
tout système a un double aspect : il est à la fois *question* et
organisation. Question, c'est-à-dire instrument à saisir les
faits, pensée agressive qui inflige indéfiniment la question
au réel jusqu'à ce qu'il réponde ; organisation, c'est-à-dire
transformation continue des faits en idées et mise en ordre
de leurs rapports. La connaissance n'est ni une mosaïque de
résultats empiriques ni un palais de pures idées, mais un
organisme vivant qui croît en incorporant les idées aux
choses et les choses aux idées : les théories d'aujourd'hui
sont les faits de demain. Aussi pourrait-on établir une véritable identité entre la connaissance systématique qui progresse en questionnant et organisant sans cesse et la
connaissance philosophique qui est une réponse perpétuellement élaborée à la suprême question posée à l'existence.
Platon déjà voyait dans la capacité de systématiser, dans
la faculté d'aperception synthétique la marque propre du
philosophe. Et Kant dans *L'Architectonique de la Raison
pure* pouvait écrire : « J'entends par architectonique
l'art des systèmes. Comme l'unité systématique est ce qui
convertit la connaissance vulgaire en science, c'est-à-dire
ce qui d'un simple agrégat de connaissances fait un système,
l'architectonique est donc la théorie de ce qu'il y a de
scientifique dans notre connaissance en général, et ainsi
elle appartient nécessairement à la méthodologie. » De
même, et plus encore, d'après Fichte la seule possibilité
d'une *Doctrine de la science* suppose que dans le savoir

humain il existe réellement un système. S'il n'y a pas de
système en effet, deux cas se présentent : ou bien il n'y a
pas de certitude immédiate intuitive, et alors notre science
forme une série infinie de termes ne se rattachant à rien ;
ou bien notre science consiste en une pluralité de séries se
rattachant chacune à un principe, mais indépendantes les
unes des autres, et alors elle est plutôt un labyrinthe où
notre esprit s'égare qu'une demeure où il s'installe ferme-
ment. Dans les deux cas il n'y aurait qu'un savoir frag-
mentaire, sans certitude ou sans cohésion, non un savoir
réel, qui n'est possible que sous la forme d'un système.
Mais c'est sans doute Hamelin qui a poussé cette conception
le plus loin. Toute connaissance pour lui forme système ;
le savoir consiste à découvrir l'ordre rationnel des faits, à
assigner des rapports nécessaires entre les choses, en un
mot à satisfaire la tendance fondamentale de l'esprit qui
est, selon le mot de Leibniz repris par Kant, architectonique, c'est-à-dire systématique. Leibniz disait de la raison
qu'elle est « un enchaînement, un système de vérités ».
Aussi comprend-on qu'Hamelin ait pu définir l'empirisme comme « une négation de tout savoir », puisqu'il se
contente de constater des coexistences et des successions
sans les expliquer. Il n'y a de connaissance que systématique : le système a d'abord une valeur de vérité.

Il a aussi une valeur esthétique, liée d'ailleurs à la pré-
cédente. Kant n'a-t-il point déjà défini la beauté comme
Hamelin le système une finalité sans fin, c'est-à-dire en
somme une finalité interne, le tout formé par la fin et les
moyens ? Valéry voyait dans l'architecture l'art suprême,
parce qu'il se retrouve dans tous les autres, parce qu'une
chose n'est belle que parce qu'elle est harmonieuse, architectonique, c'est-à-dire par ce qu'il y a d'architecture en
elle. C'est dire la beauté des systèmes philosophiques,
œuvres architectoniques par excellence. Dans une communication sur *La Valeur esthétique des systèmes* au Congrès
Descartes, M. Lalo a même insisté exclusivement sur ce

point. Pour lui la philosophie ne crée aucunement les
valeurs de vérité ou de moralité, sa tâche est seulement de
les exprimer plus systématiquement une fois créées en
dehors d'elle. Ce qui est bien dans la ligne du positivisme
qui faisait en définitive de la classification hiérarchique
des sciences le tout de la philosophie. Le système n'aurait
donc qu'une valeur esthétique, inscrite dans sa structure
même. Ce qui caractérise essentiellement en effet l'œuvre
d'art, c'est qu'elle a une structure polyphonique. Le mérite
de Kant est d'avoir défini le beau, et le sublime comme des
jeux de l'esprit humain, jeux aussi harmonieux que possible entre des facultés hétérogènes : imagination, entendement, raison, et entre des données sensibles si diverses
qu'elles sont quasiment antinomiques : satisfaction désintéressée, universalité sans concept, finalité sans fin, nécessité subjective, bref légalité sans loi. De même la principale
valeur des constructions philosophiques réside dans la
combinaison de données venues des quatre coins de l'esprit
et du monde. Leur richesse, leur fécondité est proportion-
née à la quantité et à la diversité de ces données hétérogènes, qui ne peuvent parvenir à l'harmonie que grâce à
une idée directrice heureusement inspirée. Les systèmes
philosophiques ont une structure polyphonique. Les philosophes sont des architectes, poètes ou polyphonistes d'idées
comme d'autres le sont de pierres ou de rythmes.

Que les systèmes philosophiques aient une valeur esthétique, non pas seulement d'après le style ou leurs caractères
extérieurs, mais dans leur structure architectonique même,
c'est ce qui est évident. Mais l'opposition du vrai et du
beau est superficielle. En atteignant à la beauté, le système
ne renonce pas à sa prétention à découvrir la vérité.
Comme l'a noté Jeanne Hersch dans *L'Illusion philosophique*, si même l'on considère le système achevé comme
une œuvre d'art, on devra reconnaître que c'est une
œuvre d'art plus *exclusive* que les autres — en ce sens
qu'aucun philosophe n'a jamais fait plusieurs systèmes. Si

le système philosophique n'était qu'une œuvre d'art, il devrait comme celle-ci se suffire à lui-même, devenir indépendant de celui qui l'a construit, vivre de sa vie propre, définitive, libérant ainsi le philosophe pour d'autres constructions. Or ce n'est pas ce qui arrive. Il y a bien une sorte de sensibilité à l'esthétique de la construction philosophique comme il y a une sensibilité à l'élégance de la construction mathématique, un sens de la beauté philosophique comme il y a un sens de la beauté mathématique, mais la philosophie — comme la mathématique — est autre chose. De même, au début du *Règne de la Pensée*, Paul Decoster a montré que le philosophe ne se contente pas de produire une œuvre qui soit « un tout par soi et comme un univers dans son genre », qu'il n'use point d'une technique relevant d'une sensibilité spécifique et qu'il ignore les antinomies auxquelles l'artiste se heurte. Le système prétend à la vérité plus encore qu'à la beauté.

II

Mais n'est-ce pas là malgré tout qu'une prétention ? Les dangers de la systématisation ont été souvent mis en lumière et il suffit de les rappeler brièvement. C'est un risque inhérent au système, et qui pour ainsi dire lui est congénital, que d'en faire mauvais usage, c'est-à-dire de ne pas tenir compte de tous les faits ou de les violenter pour faire entrer de force dans la construction ceux qui ne s'y plieraient pas volontiers. *Tota methodus consistit in ordine ;* toute la méthode consiste dans l'ordre, disait Descartes. Mais il y a l'ordre réel et celui que nous pouvons arbitrairement imposer aux choses. Aussi Cournot distinguait-il l'*ordre logique*, celui dans lequel nous rangeons systématiquement nos concepts, l'ordre du discours et l'*ordre rationnel*, qui est celui des choses mêmes et que nous ne pouvons connaître qu'en nous soumettant humblement à elles en dehors de toute volonté systématique. Comme dit

Hamlet il y aura toujours plus de choses dans le ciel et sur
la terre que dans toute notre philosophie. Aussi le péril
est-il grand de confondre tout le réel du ciel et de la terre
avec nos systèmes toujours déficients. On en vient facilement à perdre l'esprit de soumission et d'humilité sans
lequel il n'est pas de découverte du vrai ; on en vient même
à considérer la vérité comme un objet de possession dont
on s'est rendu maître. C'est l'habitude de systématiser qui
nous a fait croire que nous pouvions *posséder la vérité ;*
mais les philosophes non systématiques, un saint Augustin,
un Pascal dénoncent cette idolâtrie et montrent que nous
n'avons pas à posséder la vérité, mais à être possédés par
elle. Aussi y a-t-il plus qu'une philosophie : toute une
attitude spirituelle dans la formule augustinienne : *verum
facere se ipsum*, « se rendre vrai soi-même ». Celui qui
devient vrai, qui se fait vrai lui-même communie d'être à
être et rend progressivement adéquats ses rapports avec
l'être même comme avec les autres êtres. Mais cette transformation intime du sujet est le renversement de l'attitude
systématique. Tel est le sens, au fond augustinien et pascalien, de l'objection que Gabriel Marcel adresse au système
et qui l'amène naturellement, dans toute son œuvre, à se
défier de l'*idée de vérité* au profit de l'*esprit de vérité*.
« Comment en effet ne reconnaîtrais-je pas dans le besoin de
systématisation d'une part le souci de perfectionner le
réseau de communications qui lie nos idées les unes aux
autres et de les transformer en un domaine d'un seul tenant
sur lequel notre maîtrise s'exerce avec une facilité crois-
sante, d'autre part le désir de rendre notre pensée de plus
en plus transmissible, de la voir s'incarner en un tout que
nous puissions regarder comme nôtre à la façon d'un objet
ou d'une propriété. » Par là s'explique que les savants, qui
sont bien obligés de rester en étroit contact avec le réel,
donnent si souvent au mot système un sens péjoratif,
quitte d'ailleurs à retrouver ses vertus sous une autre
forme. « Quand l'hypothèse est soumise à la méthode expé-

rimentale, elle devient *théorie*, écrit Claude Bernard ; tandis
que si elle est soumise à la logique seule, elle devient un
système. » Ainsi le système risque toujours de masquer la
complexité du réel sous la simplicité des principes, de cris-
talliser la pensée sous des cadres rigides qui laisseront
échapper la plus grande part de la réalité en la déformant,
de confondre en somme *logique* et *rationnel*. Le système,
disions-nous, est une certaine manière d'organiser le réel
pour le rendre intelligible. Mais alors la tentation est
grande de rejeter hors du réel tout ce qu'on ne réussit pas à
rendre intelligible et à confondre la réalité avec une repré-
sentation pauvre, schématique et abstraite du réel. Le
système est *organisation* et *question* : mais ne tend-il pas
nécessairement à délaisser la question au profit d'une
organisation pure qui, comme tout autre, risque toujours
de se retourner contre l'homme ?

A vrai dire ces objections ne font qu'indiquer des pré-
cautions à prendre, des écueils à éviter. Mais il y a plus
grave : le système, connaissance *impersonnelle*, peut-il
rendre compte de ce qu'il y a de plus *personnel* dans l'être,
de ses attitudes fondamentales et surtout de son *existence*
même ? Ce n'est pas seulement depuis Kierkegaard et
Nietzsche, mais depuis Pascal, depuis saint Augustin,
depuis toujours que des penseurs refusèrent de systématiser leur pensée et de l'ériger proprement en doctrine, non
par impuissance, mais par souci de l'existence personnelle.
Tel est sans doute le sens profond du courant existentialiste. Lorsqu'on s'abandonne à la tentation du systématique, interroge Gabriel Marcel, ne s'expose-t-on pas à
oublier qu'une philosophie digne de ce nom n'est pas possible sans un approfondissement de notre condition d'êtres
existants et pensants ? Historiquement les philosophies de
l'existence apparaissent comme une protestation contre
l'esprit d'abstraction et de système : elles ne veulent pas
laisser volatiliser le sentiment de se sentir personnellement
exister dans un système impersonnel. La personne est

engagée, c'est-à-dire qu'elle fait partie des données mêmes du problème — et le problème dans lequel on est engagé est au delà du problème, un *méta-problématique*, ce que Marcel appelle un *mystère*. La personne est jetée *in medias res* entre un commencement et une fin qu'elle ignore. Constituer un système d'idées, c'est s'évader de la réalité dans laquelle elle est et qu'elle est : tout se ramène à son être personnel concret. Ainsi Kierkegaard oppose à la dialectique hégélienne la réalité de la vie individuelle, ses frémissements et ses irréductibilités ; au lieu d'une philosophie du système et de la vérité, l'existentialisme propose une philosophie de la rencontre et de l'événement. Dans notre histoire individuelle tout ce qui arrive constitue un événement qui a pour nous un sens unique, intraduisible. L'existence de chaque être qui vit est une suite de rencontres, mais chaque rencontre est transformée en occasion, de sorte que le monde reçoit pour lui une signification spirituelle et personnelle que le système ne réussira jamais à traduire. En d'autres termes l'*esprit de système*, qui vise l'éternel, et le *sens historique*, qui vise la temporalité, sont difficilement conciliables. L'esprit de système tend à réduire une vie au déroulement d'une loi, à ne considérer l'événement que comme l'élément d'une série : pour la réalité historique l'événement a une valeur propre, indépendamment de son rapport au tout. L'esprit de système risque ainsi de nous masquer ce qu'il y a d'unique dans l'histoire d'une âme, ce qu'il y a de contingent dans l'histoire du monde. Aussi est-ce toujours les sentiments concrets, personnels et profonds que Kierkegaard et ses disciples opposent à l'impersonnalité du système : le paradoxe, l'ironie, l'humour, le souci, l'angoisse qui sont tous des attributs de la personne. L'existence est donc irréductible à un moment dialectique ; elle ne peut entrer dans aucun système.

D'aucuns enfin vont encore plus loin et attaquent, si l'on peut dire, le système sur son propre terrain : l'éternité à laquelle il prétend ne serait qu'un trompe-l'œil. En effet, le but dernier du système est d'éliminer le doute et l'inquiétude, c'est-à-dire de réduire la totalité de la connaissance à un savoir. Mais le savoir est immanent au monde : il est même une sorte d'organisation impérialiste de l'univers. Le triomphe du système, bien loin d'être une ouverture sur l'éternité, ne serait donc que le triomphe de l'immanence. « Ce n'est qu'en rompant le cercle fermé du monde, écrit Jaspers, que l'exploration philosophique du monde me permet, en refluant vers moi-même, de me tenir disponible pour la Transcendance. » L'erreur de beaucoup est de s'imaginer que la philosophie naît d'une sorte d'échec de la science et a pour but d'y remédier. Ils croient encore avec Spencer que la connaissance vulgaire c'est le savoir non unifié, la connaissance scientifique le savoir partiellement unifié et la connaissance philosophique le savoir totalement unifié. C'est rendre la philosophie homogène à la science, c'est en faire une science achevée, c'est opérer une sorte de transposition frauduleuse sur un plan prétendument transcendant. Une telle attitude méconnaît radicalement la véritable nature de la transcendance. Elle n'est pas le dernier chaînon de l'explication, mais bien plutôt ce qui empêche qu'il y ait un dernier chaînon : *par là elle est ce qui oblige à parier pour une signification du monde, à lui donner un sens.* Admettre une transcendance c'est tout simplement refuser l'absurde. Le Transcendant n'est point ce qui boucle le savoir et en fait une totalité, mais ce qui ouvre à une option sur le sens même du savoir et rend à la fois nécessaire et obligatoire la croyance.

Ainsi aboutirait-on à une véritable antinomie entre *système* et *existence*, qui apparaissent comme les deux pôles de l'homme : nous ne pouvons ni nous passer des systèmes ni nous en contenter. Cette tension est malgré tout, à certains égards, celle même de l'éternel et du temporel, du systématique et de l'historique. Aussi faut-il construire une notion du système qui donne satisfaction à la fois et au besoin architectonique de l'esprit et à la réalité existentielle

qu'aucune doctrine ne saurait ni épuiser ni enfermer. Quant
à prétendre, comme certaine interprétation du marxisme,
qu'on pourrait se passer de tout système, voire de toute
croyance, pour se contenter d'une simple méthode, c'est ne
rien dire : pas plus qu'il n'existe de culture hors de tout
savoir, il n'y a de méthode séparée de tout point d'application. Nier le système au profit de la méthode c'est sombrer
dans un pragmatisme philosophique et un opportunisme
juridique absolument inconsistants, à moins qu'on n'appelle
méthode ce qui reste vivant dans le système. C'est qu'en
réalité la méthode n'est que la doctrine en croissance :
elle n'en est pas plus détachable que l'intuition du discours
ou le jugement du mouvement de pensée qui le sous-tend.
On ne peut se passer du système, mais il doit viser l'existence.

A cette fin on pourrait utiliser la distinction de Cournot
entre l'*ordre logique* et l'*ordre rationnel*, quoique en l'inter-
prétant dans un sens différent. Notre temps a vu la fin de
la méthode logique, si du moins l'on veut entendre par là
l'effort pour saisir les rapports statiques entre les idées
pures en dehors du devenir historique de l'individu et de
l'humanité. Ce qui la remplace c'est la méthode dialectique,
c'est-à-dire la découverte progressive de l'esprit humain
qui se connaît peu à peu en se créant à travers ses contradictions : la dialectique c'est en somme, dans l'explication, la
substitution des catégories historiques aux catégories
logiques. La logique suppose la possibilité de connaître
l'homme et le monde de l'extérieur, si l'on peut dire, en les
contemplant du dehors et comme du point de vue de Sirius ;
mais en réalité l'existant que nous sommes ne peut s'abs-
traire de la condition humaine et de la situation dans
laquelle il se trouve. Le système, en tant qu'il voudrait être
une vision *non située* des choses, se perd nécessairement
dans l'abstraction ; quoiqu'il y ait en lui toujours plus que
le devenir, il ne peut échapper à l'histoire. L'homme sans
doute a référence à l'éternité, c'est même là la définition de

tout esprit. Mais s'il veut se mettre à la place de l'éternel, il n'en donne qu'un mime qui le schématise et le trahit. Et cependant, étant donné ce qu'il est, il faut bien que l'éternité soit, non pas saisie à part, mais présente de quelque manière à toutes ses constructions. Le transcendant en effet n'est pas *au bout* de l'immanent, mais en quelque sorte ce qui le constitue, le consolide du dedans et lui donne son sens. L'éternité n'est point pour nous une évasion hors du temps, mais ce qui juge l'histoire en lui fournissant une signification. Remplacer la conception logique par une conception dialectique ne saurait donc consister, par une sorte de renversement du pour ou contre, à abîmer le système dans l'histoire comme d'autres avaient éliminé l'histoire du système. Cela consistera plutôt à découvrir une notion du système qui permette d'incarner l'éternel dans le temps et qui maintienne une tension féconde entre le systématique et l'être-en-situation. Il n'y a de dialectique que par la négativité ; mais la négation n'est que l'envers de cette affirmation intégrale qui est la vie même de l'esprit dans son rapport à l'éternel. En d'autres termes la négation n'a qu'une valeur méthodologique tandis que l'affirmation seule a une valeur ontologique. L'esprit est temps, c'est-à-dire qu'il y a en lui une négativité fondamentale qui fait qu'il ne peut s'efforcer d'équivaloir au dynamisme originaire de son affirmation que par un progrès continu : d'où la nécessité de la dialectique. Mais il est éternité, non parce qu'il peut échapper à la temporalité, mais parce qu'il y a en lui une présence qui lui permet de dominer le temps et de le juger. Sans négativité et temporalité il n'y a pas d'histoire ; mais sans l'éternité l'histoire n'a pas de sens. L'éternel est donc la signification même de l'historique. Exister pour un esprit incarné ne peut être que découvrir à chaque instant le sens de son progrès dialectique. Et il y a pour lui deux manières de se perdre : cesser de progresser en s'imaginant atteindre l'éternité, s'engluer dans son progrès en oubliant la référence à l'éternel, qui, seule, lui en

livre le sens. La dialectique première, source de toute philosophie, ne peut être, disions-nous, que le dialogue du système et de l'existence. Il importe maintenant d'achever
d'en dégager le sens.

III

Pour préciser une telle conception, on pourrait partir
de la distinction qu'établissait Henri Gouhier entre deux
types de philosophies, ou plutôt entre deux tendances
complémentaires de toute philosophie : les philosophies de
la vérité-les philosophies de la réalité. L'idéal de toute
connaissance philosophique c'est l'intuition, le contact avec
le réel. Dès 1763, critiquant l'argument ontologique, Kant
montrait que l'existence est l'absolue position d'une chose :
toute existence, non seulement l'existence en soi, mais celle
même du donné est irréductible à la pure raison conceptuelle. Et sans doute n'a-t-on pas assez remarqué que dans le
kantisme il y a une profonde humilité : si l'esprit humain a
de quoi comprendre l'existence, quand elle lui est *présentée*,
il ne saurait l'engendrer. Peut-être faudrait-il dire que
l'existence ne peut jamais être *connue* en elle-même : elle
est ce dont l'essence est de n'avoir pas d'essence. Elle est la
limite idéale du philosophe. De la thèse existentialiste nous
retiendrions volontiers que les essences doivent être conçues
comme les approximations successives d'une existence qui
ne peut jamais être saisie totalement. Ce qui est premier et
qui est l'objet même de la philosophie c'est l'exister. Mais
il n'est pas possible de se fondre sympathiquement dans
l'existant ou de fusionner avec lui. Connaître c'est distinguer
autant qu'unir. On n'approche de l'existence que par une
connaissance indéfiniment progressive : les prétendues
essences ne sont que les différents modes d'approximation
de l'ineffable exister. Les philosophies de la réalité sont des
efforts pour établir le contact. Mais ce terme même d'effort
montre que nous ne pouvons appréhender directement la

réalité : *les données immédiates de la conscience sont ce qui
n'est pas immédiatement donné.* Le contact direct, l'intuition immédiate nous sont refusés. Si nous étions une réalité
toute faite, peut-être pourrions-nous nous connaître dans
une vue intuitive et nous posséder intégralement ; mais
puisque nous sommes en devenir et que nous avons à nous
faire, en d'autres termes puisqu'il y a du néant en nous,
nous ne pouvons nous connaître que d'une connaissance en
mouvement qui ne se poursuit que parce qu'elle est déjà,
mais qui n'est aussi que dans la mesure où elle se poursuit.
Si nous sommes présents, nous ne sommes pas entièrement
donnés à nous-mêmes. Ce qui signifie qu'entre la connaissance et l'existence il n'y a jamais pour nous adéquation
parfaite et qu'elles ne sont l'une et l'autre que dans leur
opposition continue et leur complémentarité réciproque
D'où la nécessité de construire ce qui ne saurait être directement et immédiatement appréhendé : la dialectique et le
système, le *système dialectique* sont le substitut nécessaire
d'une intuition qui nous échappe. D'ailleurs l'idée même de
vérité — et telle est sa fonction irremplaçable de vérifica-
tion continue — suffit à établir des degrés dans le réel et à
différencier la réalité authentique de celle qui ne l'est pas.
La distinction du vrai et du faux oblige à un processus d'abstraction qui permettra de séparer un pseudo-réel du réel
authentique : un être fini qui a l'idée de vérité est nécessairement engagé dans la dialectique, puisqu'il ne peut plus
se contenter d'une appréhension désormais ambiguë de la
réalité. En ce sens toute philosophie est philosophie de la
vérité. Inversement il faut bien que toute philosophie parte
du réel pour y aboutir à nouveau : sans quoi elle ne serait
qu'un jeu de concepts. La vérité, si l'on veut, est l'intermédiaire nécessaire entre deux réalités.

Ainsi peut-on préciser la nature et le rôle du système en
s'écartant de deux erreurs inverses. Il y a d'une part les
philosophies qui nient le réel au profit du vrai ou plutôt
veulent réduire la réalité à la vérité. Le type en est la

construction d'Hamelin. Le vrai, qui épuise le réel, est le
système des catégories : le monde s'identifie aux lois de
l'esprit. Il n'y a de vérité que systématique, il n'y a de
système que clos et bouclé sur soi. C'est une conception de
ce genre, quelle qu'en soit la grandeur, qui prête le flanc
à toutes les objections que nous avons rappelées. Il y a
d'autre part les philosophies qui voudraient, à la limite,
sans jamais y parvenir absolument, réduire le vrai au réel :
elles sont avant tout recherche d'une appréhension immédiate. Mais cette obligation même d'un donné qui n'est pas
immédiat implique le passage par la vérité, c'est-à-dire par
la construction et le système. Comment connaîtrais-je la
situation dans laquelle se trouve la personne, sinon en la
reconstruisant ? Ainsi qu'on l'a noté, affirmer en philosophie qu'il faut remplacer l'étude du problème par le
respect du mystère n'est peut-être pas sortir absolument
de la problématique, mais poser le problème du mystère :
plus exactement il ne s'agit pas de tenir l'existence en
dehors de la connaissance, mais de préciser le genre de
connaissance qui lui convient. L'existence pure ne peut
être que vécue, l'existentialisme ne devient une philosophie
qu'en la reconstruisant d'une manière ou d'une autre.
Sans quoi on ne sortirait pas de cet impressionnisme philosophique dans lequel tombent trop souvent ses épigones.

La connaissance philosophique ne saurait donc être ni
pure intuition ni pure construction, mais, suivant une profonde formule de Vialatoux, une sorte de *réflexion progressivement intuitive*. L'intuition est bien l'idéal de toute
compréhension : *Videre est habere*. Mais c'est un idéal
inaccessible. La connaissance humaine est militante et
dialectique, c'est-à-dire conceptuelle. Elle est approchée,
ce qui signifie que nos constructions s'efforcent d'enserrer
toujours davantage une réalité que nous ne pouvons jamais
intégralement posséder. Et nous appelons proprement
réflexion ce mode de connaissance où l'intuition n'est pas
saisie à part, mais immanente au discours, c'est-à-dire pré-

sente à nos constructions systématiques dont elle fait la valeur. Nous ne déboucherions jamais dans l'éternité, si elle n'était présente au temps dont elle fait la consistance et l'être, auquel elle donne son sens et sa valeur. Peut-être pourrait-on interpréter de cette façon le *ergo* du *Cogito* cartésien : sans impliquer un raisonnement, du moins manifeste-t-il un mouvement de la pensée. La connaissance de soi chez l'homme est conscience de soi. Or la conscience n'est pas autre chose que le sentiment d'une certaine distance de soi-même à soi-même en même temps que l'effort pour se rapprocher de soi : elle n'est jamais pleine possession de l'être par lui-même, mais conquête progressive, création continue. La conscience, si l'on veut, est connaissance en mouvement d'un sujet qui toujours s'affirme et poursuit de s'affirmer, parce que jamais il ne se possède immobile. Ainsi la médiation continue est le substitut nécessaire d'une impossible immédiation. Pour aller de soi-même à soi-même, pour égaler sa connaissance à ce que l'on est, il n'y a point de voie directe : jamais nous ne possédons sans intermédiaire la plénitude de notre être. C'est que, comme dit Blondel, « si nous avons l'être, nous ne sommes pas absolument notre être ». Aussi la personne ne peut-elle se boucler sur soi. Notre pensée n'est pas une essence, elle n'a pas une nature définissable, elle n'est pas un être subsistant en soi. S'il y a en elle une tendance radicale à se dépasser, c'est qu'elle ne devient intelligible pour elle-même qu'en se tournant vers la Pensée parfaite. Sans doute faut-il bien qu'il y ait en un sens une conscience originaire de soi, sans quoi le dynamisme orienté de l'esprit serait lui-même inintelligible ; mais la connaissance primitive est obligation et recherche plus que fait et possession : l'*être apparaît comme engendrant la connaissance en vue de se connaître et de se posséder.* Ainsi ce n'est pas le vrai, mais le réel qui est la fin de notre esprit ; seulement le réel ne peut être atteint que par la médiation du vrai ou plutôt la réalité n'est pas atteinte *par*, mais *dans* la vérité.

Ce qui aboutit à une conception qu'on pourrait appeler du *système ouvert*. Et ouvert en deux sens. D'abord en celui-ci qu'aucun système ne pouvant épuiser le réel en tant qu'existant il est légitime qu'il y en ait une multiplicité qui donne sur lui des vues convergentes. Ensuite en cet autre que notre méthode de connaître ne peut consister dans le procédé éclectique d'une juxtaposition de systèmes divers, que nous avons besoin pour comprendre d'un système personnel, mais que ce système étant instrument et non fin doit toujours se parfaire et se compléter par une sorte d'intussusception progressive du réel. Et un tel système mérite le nom de croyance.

D'abord la notion de *système ouvert* implique la légitimité en même temps que la nécessité de systèmes multiples, c'est-à-dire de croyances diverses et personnelles. Ce qui est scandale pour l'apprenti devient exigence pour le philosophe. D'où l'erreur qu'il y a à confronter des systèmes alors qu'il convient de les utiliser au contraire pour questionner le réel. L'existence authentique est la source de toute philosophie : philosopher c'est universaliser une expérience spirituelle en la traduisant en termes intellectuels valables pour tous. Les systèmes nécessairement multiples, comme les expériences, communient cependant en s'ouvrant tous à l'expérience intégrale. Définissant la philosophie comme la description de l'expérience, Le Senne a montré que celle-ci était inépuisable : toutes les philosophies sont donc comme des *publications de la Philosophie*. On pourrait dire la même chose de la théologie. Au point de vue religieux le donné c'est la Révélation. Les vérités révélées par Dieu aux hommes ne constituent pas un système perfectible, mais un véritable donné brut, un dépôt invariable. Mais en lui même, en tant que donné pur, il est inaccessible à l'homme, il est à la fois la source et la limite de toute théologie, comme l'existence l'est de toute philosophie. Pour le chrétien il se trouve sous la forme la plus simple et la plus concrète dans les Écritures mais déjà

il a subi une première élaboration, une certaine systématisation, ou plutôt il ne peut être *révélé* sans être exprimé et
donc inséré dans certaines liaisons intelligibles. L'homme
ne peut comprendre que ce qui est traduit dans un langage
et systématisé au moins dans un conte, une parabole, une
simple narration. Si l'on veut s'efforcer de mieux pénétrer
ce donné et de le comprendre davantage, il faut bien
construire des systèmes qui en seront des vues fragmentaires et complémentaires. Telles sont les diverses théolo-
gies, dont nous dirions volontiers qu'elles sont des *publications de la Théologie*. Leur multiplicité, bien loin d'être un
scandale ou un paradoxe, est la marque d'un effort humain
indéfini pour mieux comprendre une réalité inépuisable.
Ainsi l'idée d'un seul système, bouclé sur soi et englobant
tout le réel, est-elle proprement inintelligible. Si nous par-
venions à enfermer le réel dans un seul de nos systèmes,
c'est qu'il serait fini, que nous le dominerions, qu'il n'*existe,
rait* pas, mais serait notre œuvre. La réalité au contraire se
reconnaît à ce signe qu'elle n'est pas fabriquée par nous,
qu'elle déborde toujours nos systèmes, qu'elle s'impose
à nous, nous résiste et nous dépasse. C'est donc l'impuissance où est l'homme d'atteindre toute la réalité et d'égaler
sa connaissance à l'*exister* — même à son propre *exister* —
qui rend la var iété des systèmes, non seulement légitime
mais nécessaire. L'infinie diversité des vues fragmentaires
est le substitut indispensable d'une vue intuitive et globale
qui ne pourrait être le fait que d'un esprit infini. La variété
des systèmes intellectuels est l'hommage que des esprits
finis rendent à l'inaccessible unité, à l'infinie simplicité
de l'Intuition idéale.

Mais si la diversité des systèmes est légitime, l'unité du
système est nécessaire pour chacun : une multiplicité de
points de vue s'impose pour le progrès de l'humanité, mais
chaque homme n'en peut avoir qu'un. Ce qui signifie
— et c'est le fondement même du personnalisme — que
tout système philosophique est personnel. Mon système

c'est mon moyen par la connaissance de croître dans l'être : s'il est ainsi la plus profonde expression de ma personne, comment pourrait-il être impersonnel ? Comment pourrait-il se juxtaposer en moi-même à d'autres ? Le personnalisme est le seul à pouvoir concilier aussi intégralement le sérieux de chaque système avec le respect des autres systèmes, c'est-à-dire des autres personnes. Encore faut-il, pour que cela soit possible, que mon système s'ouvre aux autres systèmes comme ma personne s'ouvre aux autres personnes, que ma croyance se perfectionne par une perpétuelle confrontation avec les autres croyances, que mes constructions se modifient sans cesse grâce à une approximation continue de toute existence. Nous ne pouvons donc ni nous passer des systèmes ni juxtaposer des systèmes divers ni adopter un système clos et définitif. Tout système est vrai en tant qu'il est une vue sur le réel, faux en tant que cette vue prétend être intégrale. Malgré les mots l'erreur commence lorsque le système devient systématique. Aussi serait-il à peine paradoxal d'affirmer qu'il est bon dans la mesure où il est déficient : sa déficience est un appel vers quelque chose au delà de ce qui est fabriqué par nous. Toute existence finie est aspiration, c'est-à-dire inquiétude. Ainsi, et davantage encore, d'une existence pensante. L'inquiétude est alors ce qui la pousse à créer un système, afin d'appréhender le réel et à le dépasser sans cesse pour le reconstruire toujours. Une philosophie humaine ne saurait être ni une philosophie de la conscience heureuse ni une philosophie de la conscience malheureuse, mais une philosophie de la conscience inquiète. C'est ce qu'ont bien vu les marxistes dans leur analyse de la situation prolétarienne. Leur seul tort a été de ne pas creuser plus profondément jusqu'à cette inquiétude essentielle de l'homme, écartelé entre le temps et l'éternité. Ce qui n'implique nul romantisme. Si l'inquiétude est exclusive d'un bonheur absolu, qui nie le devenir et serait la *présence totale* de soi à soi, ce qui est la définition de l'Être parfait, elle appelle la

joie, qui accompagne toujours la création. Car c'est sur ce
problème de l'inquiétude et du doute, véritables appels à la
croyance, que se joue le destin du personnalisme.

C'est ce qu'a bien vu un philosophe intellectualiste, à
la pensée austère et exigeante, Paul Decoster : « L'inquiétude, dit-il, est la seule valeur philosophique et permanente.
Elle est l'expérience que nulle expérience ne contredit. Les
systèmes passent — et elle demeure. L'intensité de notre
angoisse donne la mesure de la profondeur de notre pensée.
Tendue vers la possession souveraine, l'inquiétude passe en
réalité toute réalité. Elle est en nous la marque de l'Être...
L'inquiétude constitue le fait primitif au delà duquel on ne
remonte point. » Et Decoster insistait sur le caractère
existentiel de l'inquiétude. Proche du doute, dont nous
dégagerons bientôt la signification, elle s'en différencie
cependant : « le doute est à la réflexion rationnelle ce que
l'inquiétude est à la pensée prise en son intégrité ». L'âme
inquiète ne doute pas qu'elle n'existe : « elle n'en est que
trop sûre ; elle veut s'égaler à l'Être et ne sait où se
prendre... ; elle est une lutte de tous les instants dont mon
existence est l'enjeu ». Le système n'est qu'un effort indéfiniment poursuivi pour égaler la connaissance à mon existence inquiète. Aussi pour qui n'est pas panthéiste, c'est-
à-dire pour qui n'admet pas que l'homme puisse être
jamais *infiniment* présent à lui-même, ce qui exclurait
radicalement tout devenir, l'inquiétude apparaît-elle comme
la compagne nécessaire de l'homme. On peut la concevoir
transformée, transfigurée, sans souffrance d'aucune sorte :
on ne saurait l'imaginer absente. Elle est la source même de
toute dialectique possible ; et la dialectique est le mode
d'existence d'un être qui n'est ni pure temporalité ni pure
éternité, mais qui conquiert progressivement son éternité à
travers le temps. Nous en voudrions chercher paradoxale-
ment la confirmation chez un philosophe classique et rationaliste, où l'on s'attendrait peu à la trouver. Leibniz
entend profondément par inquiétude les petites sollicita-

tions imperceptibles qui nous tiennent toujours en haleine
et qui sont comme des petits ressorts qui tâchent de se
débander et qui font agir notre machine. Et c'est cette
inquiétude perpétuelle qui nous empêche — et nous empê-
chera toujours — de nous endormir dans aucune possession
définitive. « Bien loin, dit-il dans les *Nouveaux Essais*,
qu'on doive regarder cette inquiétude comme une chose
incompatible avec la félicité, je trouve que l'inquiétude est
essentielle à la félicité des créatures, laquelle ne consiste
jamais dans une parfaite possession qui les rendrait insen-
sibles et comme stupides, mais dans un progrès continu et
non interrompu à de plus grands biens, qui ne peut manquer
d'être accompagné d'un désir ou du moins d'une inquiétude
continuelle, mais telle que je viens d'expliquer, qui ne va
pas jusqu'à incommoder, mais qui se borne à ces éléments
ou rudiments de la douleur, imperceptibles à part, lesquels
ne laissent pas d'être suffisants pour servir d'aiguillon et
pour exciter la volonté. » Ainsi ne sommes-nous — ne
serons-nous — jamais sans quelque inquiétude « qui ne
vient que de ce que la nature travaille toujours à se mettre
mieux à son aise ». La source dernière de l'inquiétude c'est
que l'esprit humain à la fois vit dans le temps et le domine,
ne peut se satisfaire de rien de temporel et ne peut échapper
cependant au devenir, à une certaine temporalité. Au principe de l'inquiétude il y a comme le pressentiment d'une
Vérité éternelle, qui ne peut être atteinte qu'à travers le
temps : toute inquiétude recèle une joie latente comme le
doute véritable une croyance supérieure. Si l'inquiétude
constitue le fait primitif au delà duquel on ne remonte
point, c'est qu'elle est source animatrice de tout système ;
en un sens, d'après Decoster, elle est au delà même de la
raison, car « elle évite toute espèce de détermination
objective ». Elle nous révèle le rôle de l'*esprit*, qui est de
toujours dépasser la raison en intégrant sans cesse ses
acquisitions. Mais pour comprendre et penser l'homme ne
peut se passer de constructions rationnelles, de *détermina-*

tions objectives : les systèmes sont les instruments nécessaires de connaissance que l'inquiétude dépose le long de
son parcours. Le tort du marxisme est de méconnaître cette
méthode réflexive par laquelle le sujet, loin de s'enfermer
en lui-même dans une fausse intériorité, se découvre dans
son rapport à lui-même, au monde, aux autres, à Dieu.
Est philosophe au contraire tout homme qui sait en quelque
sorte enfermer la plus profonde inquiétude subjective dans
le système objectif le plus cohérent. *Comprendre c'est
objectiver une inquiétude dans un système;* mais en même
temps l'inquiétude foncière reste immanente au système
pour l'ouvrir sans cesse et le promouvoir toujours.

Par là se dégage déjà la signification de la croyance
personnaliste. Sans croyance, l'univers est absurde, et la
plus impérieuse exigence, à la fois logique et morale, en
moi refuse cette absurdité. Dieu existe parce qu'il le mérite,
parce que sans lui le monde n'a pas de sens et que je ne
suffis pas à lui en donner un. Croire c'est donc refuser l'absurde. Et la croyance n'est pas science précisément en ce
qu'elle ne pense pas l'intelligibilité et la moralité toutes
données, mais en ce qu'elle estime et qu'elles sont à faire
et qu'elles peuvent être faites. Encore ne faut-il pas proprement jouer sur les mots, comme le fait une grande partie
de la pensée moderne : il est une façon d'utiliser la transcendance qui en constitue la plus radicale négation. Toute la
question en effet est de savoir s'il existe une sorte de qua-
trième dimension, de dimension verticale de l'univers ou
si l'on doit rester dans un plan exclusivement horizontal.
Or le propre de l'existentialisme athée est de multiplier
les transcendances, c'est-à-dire les mouvements de dépassement, mais en restant toujours dans le monde : sa transcendance est à l'intérieur de l'immanence. Et l'on ne comprend
guère comment une philosophie qui définit l'homme par
le dépassement ne voit en lui qu'un être de la nature. Telle
est exactement la difficulté que signalait Jean Wahl :
« Comment conserver ce sentiment de quelque chose qui

dépasse dans cet univers où nous essayons cependant d'expliquer tout par rapport à l'univers lui-même ? » Que le sens du monde ne soit pas tout donné et qu'il appartienne à l'homme de le révéler, nous en sommes d'accord, mais cela même n'est possible que si, dans ce monde même, il est présence d'un au-delà du monde. Sans la durée humaine il n'y aurait pas d'histoire du monde ; mais sans l'éternité divine il n'y aurait pas d'histoire de l'homme.

*
* *

Tel est, à notre avis, le sens original de la dialectique blondélienne, aussi opposée à la systématisation qui prétend se boucler sur soi à la manière d'Hamelin, qu'à la défiance envers tout système qui caractérise cette espèce d'impressionnisme existentialiste, de pointillisme philosophique qu'on trouve dans une partie de la philosophie moderne. La philosophie blondélienne de l'insuffisance établit, en même temps que l'incoercible besoin d'achèvement de notre pensée, son impuissance foncière à s'achever naturellement, tenant compte et de l'absolue nécessité de systématiser pour penser et de l'irrémédiable déficience de tout système. Ce qui permet de concilier et la légitimité des systèmes multiples et l'obligation pour chacun de nous de refaire indéfiniment son propre système. La pensée humaine se caractérise à la fois : 1) Par une capacité de construire, par un besoin de systématiser, par un pouvoir, si l'on peut dire, de déborder indéfiniment le donné par le construit — et c'est la grandeur du moi constructeur, si bien analysé par Kant : on peut sans doute aller au delà du criticisme, mais on ne saurait en aucun cas revenir en-deçà ; 2) Par un certain sentiment de l'insuffisance de tous les systèmes et de toutes les constructions, par une remise continue en chantier de tous les édifices précédemment élevés, par une réponse à un appel qui retentit sans cesse. Entre le connaître et l'exister le dialogue est sans fin et notre vocation propre est d'être ce *système agissant* qui se dépasse toujours lui-même, non en cessant d'être soi, mais en s'ouvrant toujours plus à cet au-delà de toute connaissance et de toute existence par lequel seul nous connaissons et nous sommes.

Ainsi se dégagent les grandes lignes d'un personnalisme qui intégrerait toutes les acquisitions de l'existentialisme et surtout du marxisme tout en les dépassant. A vrai dire on pourrait se demander si ce terme de personnalisme convient encore, si le progrès de la réflexion philosophique n'exige pas aujourd'hui une sorte de dépassement du personnalisme. Celui-ci en effet est moins une philosophie technique qu'un esprit capable de s'incarner en des positions assez diverses, depuis l'idéalisme d'un Lachièze-Rey jusqu'à l'existentialisme d'un Gabriel Marcel. S'il n'exprime que ce qu'il y a de commun à des philosophies aussi différentes, il risque de se perdre en un vague éclectisme. Mounier en convient, qui affirme qu'il ne sera jamais un système ni une machine politique. N'est-ce point là une de ses plus grandes faiblesses ? Et qu'est-ce qu'une pensée qui ne serait point systématique ? Il perd ainsi la séduction des philosophies difficiles, cette séduction qui fut longtemps celle de l'idéalisme. En réalité on ne peut le mettre sur le même plan que le marxisme, l'existentialisme ou toute autre philosophie : inspirateur de systèmes, il ne peut valoir dans chaque cas que ce que vaut le système qu'il a inspiré. Bien plus son danger est d'insinuer que toute communauté résulte d'un accord de volontés auxquelles elle doit perpétuellement se soumettre. Or le slogan « l'individu pour la société et la société pour la personne » apparaît bien verbal. Ce que défend justement le personnalisme ne pourra être sauvé que s'il reconnaît la réalité spirituelle d'un *être social* qui le dépasse, qui s'impose à lui et par lequel seul il peut être. Le « nous » ne résulte pas d'un accord entre plusieurs « toi » : il est leur contemporain. En d'autres termes l'affirmation personnaliste n'est possible que pour qui admet ce qu'on pourrait appeler, à la manière de Gurvitch, un *trans-personnalisme*. Ce qui signifie que l'homme ne peut jamais épanouir sa personnalité et la développer qu'en se mettant au service d'une cause qui le dépasse. Ce n'est pas, pour employer les expressions de Royce, en tissant des rapports inter-individuels que les êtres se développent, mais en entretenant des relations mutuelles au sein d'une réalité, d'une *cause* non pas impersonnelle, mais trans-personnelle. La personne n'est pas un ensemble de liens extrinsèques qui s'établiraient entre un individu d'ores et déjà réel et une communauté distincte : elle est la participation vivante du moi à un ordre concret qu'elle s'engage à servir et qui en retour lui confère la seule réalité à laquelle elle puisse prétendre. Tout se passe, semble-t-il, comme s'il existait, issu de Dieu, une sorte d'élan vital ou plutôt d'énergie spirituelle, de flux transpersonnel de l'esprit et de la vie encore indivisés qui s'invididualise progressivement à travers des communautés actives, elles-mêmes source de personnalisation continue.

En somme tout personnalisme est d'accord avec l'existentialisme pour affirmer la primauté du sujet — ou plutôt des sujets : il recueille et il sauve ce qu'il y a de vérité inaliénable dans la tradition réflexive et il n'a tant lutté contre l'idéalisme que pour en assurer d'abord les acquisitions durables. En d'autres termes, et tout simplement, il part du *Cogito* cartésien. Ou plus exactement le doute et l'inquiétude sont pour lui la preuve manifeste que toute pensée et toute action *humaines* prennent leur source dans la liberté spirituelle. On peut dire que jusqu'au xixe siècle en gros tout le monde admettait un postulat commun : celui de la valeur de la pensée. Mais que reste-t-il si cette valeur est mise en doute, si ce qui est contesté ce n'est plus le système, mais le mécanisme de sa formation ? La critique nietzschéenne découvre la notion de superstructure : comme Marx fait dépendre l'intelligence de l'infrastructure économique et sociale, Nietzsche la fait dépendre de l'infrastructure individuelle et instinctive. Le xixe siècle a découvert ce qu'on pourrait appeler les conditionnements de la pensée. Le personnalisme ne nie pas ces conditionnements. Il pense même que les oublier est la tare de l'idéalisme comme du libéralisme, que les connaître est le seul moyen de s'en libérer. Mais c'est dire aussi que pour lui les conditions ne sont pas des causes suffisantes, qu'il y a une transcendance de la réflexion par rapport à ses conditionnements. N'est-ce point un communiste italien orthodoxe, Remo Cantoni, qui affirme que l'idéalisme, faux dans un monde de contradictions et de luttes pourrait être vrai pour une humanité réconciliée, pour une Cité sans classes ? Et n'en pourrait-on dire autant de certaines formes du libéralisme ? La tâche propre du personnalisme ne serait-elle point alors de maintenir ces valeurs tout en s'efforçant de créer un monde où elles seraient possibles pour tous ? C'est en ce sens que pourrait être interprétée la formule si profonde de Comte : le prolétaire est un philosophe spontané comme le philosophe est un prolétaire systématique (1). Ainsi le personnalisme sauve la méthode réflexive, tout en s'efforçant sans cesse d'éclairer et de déceler tout ce qui peut la dénaturer : elle ne vaut pour lui qu'après avoir surmonté la critique nietzschéenne et marxiste. Cette primauté du sujet, qui ne va pas sans doute et inquiétude ou qui plus exactement s'exprime par le doute et l'inquiétude, n'aboutit donc pas à l'intériorité. Et malgré le magnifique élan de spiritualité qui l'anime, nous dirions volontiers que tout personnalisme aujourd'hui est perdu qui ne se méfie pas d'abord de — nous ne disons pas qui rejette — l'héritage kierkegaardien. Le thème de la solitude est le plus dangereux, qui oublie qu'à chaque instant, dans son acte comme dans sa pensée, l'individu est le représentant et comme le délégué de l'humanité entière. Ce qui revient à préciser le

---

(1) Comparer la pensée de Marx : « La philosophie est la tête de l'émancipation humaine. Le prolétariat en est le cœur. La philosophie ne peut se réaliser sans la suppression du prolétariat et le prolétariat ne peut être supprimé sans la réalisation de la philosophie. »

rôle de la liberté dans la connaissance, c'est-à-dire à édifier
une théorie de la croyance. Non certes qu'on édifie par là
un système personnaliste : c'est un effort qui ne pourra être
accompli qu'ultérieurement. Mais tout système d'inspiration personnaliste, quel qu'il soit, ne pourra se construire
que s'il a su délimiter au delà du savoir prétendument
objectif et impersonnel et de l'opinion apparemment individuelle et réellement sociale la part exacte de la croyance
personnelle. Car la croyance seule exprime à la fois la primauté du sujet et sa rencontre totale avec l'objet. Croire
c'est affirmer la supériorité du sujet de la seule manière
valable, c'est-à-dire en l'engageant dans l'objet en communion avec tous les autres sujets. *L'opinion est individuelle
et grégaire tandis que la croyance est personnelle et communautaire.* On a beaucoup parlé de pensée engagée, sans
remarquer peut-être que cette pensée engagée a un nom
très ancien et très beau, qui est précisément celui de
croyance. Car si la croyance est le tout de l'homme, il est
clair qu'elle implique d'abord et avant tout cette activité
laborieuse par laquelle nous transformons le monde. Celui
qui ne travaille pas ne croit pas : si la croyance authentique
suppose chez l'homme une épuration continue de sa pensée,
c'est qu'elle ne saurait être qu'une réflexion sur son acte.
Aussi est-ce dans l'intime liaison du doute et de la croyance
que devra s'engager tout personnalisme qui sait qu'il ne
peut atteindre son but transcendant que *dans* et *par* une
aventure *mondaine.*

Chapitre III

LA SIGNIFICATION
DU DOUTE CARTÉSIEN

Une philosophie du sujet ne peut être qu'une philosophie de la liberté : s'il faut remonter au doute cartésien comme à l'origine nécessaire de tout personnalisme, c'est qu'il est la plus profonde expérience de la liberté et l'avènement même de la personne. Je suis libre si je ne suis pas contraint par l'objet, c'est-à-dire si j'ai en face de lui le pouvoir de suspendre mon jugement : je domine le monde si j'ai la capacité de le nier ou, comme dirait Sartre, de le *néantir*. Or telle est d'abord la signification du doute cartésien : il apparaît avant tout comme un parti pris héroïque de la volonté pour s'élever du monde corporel au monde spirituel et atteindre la pleine spiritualité de l'esprit.

I. — Le doute, héroïsme du vouloir

Le doute, comme l'avait déjà vu Liard, est bien œuvre de volonté. C'est un exercice tendu, ayant un caractère tout particulier, spécifiquement moral, qui rappelle la méthode de détachement du *Phédon*. Ce caractère moral s'éclaire si l'on prend garde aux circonstances qui l'accompagnent. Descartes choisit (notons le bien : *il choisit*) pour douter un moment où il n'est diverti par aucune conversation, où il n'est troublé par aucuns soins ni passions et où il peut demeurer tout le jour à s'entretenir dans un poêle avec ses pensées. Et telle est l'importance de ces trois conditions du *Discours* qu'elles se retrouvent identiques dans les *Méditations*. Bien plus toute la première

Méditation montre combien ce doute est anti-naturel, pénible et laborieux. Il faut avant tout vouloir douter et donc « se raidir contre une certaine paresse qui nous entraîne insensiblement dans le cours ordinaire de la vie ». Essertier a pu écrire justement que l'horreur du doute était naturelle à l'homme. C'est pourquoi pour douter — et surtout pour continuer à douter — il faut une sorte de coup d'État de la volonté, de parti pris fondamental qui cherche à se soutenir par tous les moyens et malgré toutes les tentations. *Descartes ne doute pas à cause des raisons des sceptiques, mais il reprend les raisons des sceptiques — et en ajoute d'autres — parce qu'il veut douter.* Aussi a-t-on pu dire que le doute cartésien, semblable en cela au doute académique, supposait la conception volontariste de l'assentiment. Pour Spinoza celui qui a une idée vraie le sait et n'en peut pas douter. La volonté ne peut donc suspendre l'assentiment : nous ne sommes pas libres de donner ou de refuser l'assentiment à une idée vraie. *Voluntas et intellectus idem sunt.* Descartes au contraire répudie au moment de son doute des idées que plus tard il reconnaîtra pour vraies : il faut donc que la volonté chez lui soit distincte de l'entendement, qu'il *décide* de ne point donner son assentiment. Dès l'abord le doute cartésien apparaît comme la décision, comme l'engagement d'un homme *résolu :* il est l'envers d'une croyance essentielle, qui est croyance en la liberté, c'est-à-dire confiance en soi. Tandis que le doute pyrrhonien est indécision et irrésolution, le doute de Descartes est décision et résolution.

Mais pourquoi donc veut-il douter ? Parce qu'il aime la certitude. La révolution cartésienne a peut-être consisté essentiellement en ce parti pris héroïque de la volonté : celui de ne céder qu'à l'évidence. Pour Aristote, s'il ne convient pas de se contenter de la vraisemblance dans les sciences qui comportent la certitude, il faut encore moins exiger la certitude dans les sciences qui n'atteignent que le vraisemblable. Descartes au contraire, ne concevant qu'un seul type de certitude sur le modèle de la mathématique, s'oblige à douter tant qu'il n'est pas absolument certain. Entre le douteux et le certain plus de milieu : la vraisemblance rejoint le doute. La certitude est totale ou elle n'est pas. Le doute apparaît ainsi comme la décision inébranlable de suspendre son jugement en dehors de l'évidence. C'est le moyen le plus sûr, le seul sûr pour réaliser la décision que j'ai prise de ne me soumettre qu'à l'évidence. Et qu'on ne dise point que cette fière liberté s'arrête en route, puisque l'évidence au moins me contraint. Car l'évidence encore dépend de moi, parce qu'elle dépend de la direction de mon attention, qui est avec le doute la suprême épreuve du libre-arbitre : pour n'être point contraint par l'évidence, je n'ai qu'à en détourner mon esprit, ce qui est à chaque instant en mon pouvoir.

Il ne s'ensuit aucunement que le doute cartésien soit arbitraire ou artificiel. Il ne s'agit pas de s'en débarrasser le plus vite possible, mais bien au contraire, quelque dégoût que l'on ait à *remâcher une viande si commune*, de l'approfondir — et surtout de le conserver. La plupart des commentateurs considèrent le doute comme un moment de la dialectique, comme un point de départ dont il n'est plus question dès qu'on a atteint la première évidence. En réalité il est le moteur toujours présent de toute la pensée cartésienne. Dans chaque cas le doute doit ressusciter et subsister tant qu'on n'est pas certain. Le but n'est jamais d'ébranler le vrai, mais toujours de l'essayer et de l'éprouver. Le doute est toujours possible, parce que l'idée ne s'affirme jamais en nous sans nous, parce que l'assentiment dépend toujours de notre bon vouloir, puisque l'attention est libre : la possibilité du doute c'est l'affirmation virtuelle de la primauté du sujet. On voit par là combien le doute est une détermination héroïque du vouloir. Aussi comprend-on que Hegel ait appelé Descartes un *héros* et que Péguy ait peint ce *cavalier français qui partit d'un si bon pas*.

Si cet héroïsme de la volonté se manifeste dans toutes

les démarches de la pensée cartésienne, il n'est nulle part
plus significatif que dans l'hypothèse — nous allions écrire
dans l'*épisode* — du malin génie. Descartes est ce gentil-
homme qui rencontre le malin génie et lui parle calmement
face à face, d'égal à égal, sûr, grâce au doute, d'échapper à
ses prestiges. Le grand trompeur peut nous empêcher
d'atteindre la vérité, mais il ne saurait nous induire en
erreur, car, ainsi qu'il est dit dans les *Principes* « nous
avons un libre-arbitre qui fait que nous pouvons nous
abstenir de croire les choses trompeuses, et ainsi nous
empêcher d'être trompés ». C'est donc dans ma capacité de
refus et de non-adhésion, dans mon pouvoir de négation,
dans ma *négativité*, comme eût dit Hegel, dans cette puissance d'échapper à tous les vertiges que Renouvier appelait
nolonté que se manifeste d'abord ma liberté : être libre
c'est pouvoir dire non. Le doute est l'exercice même du
libre-arbitre, et sa première et fondamentale épreuve,
puisqu'il permet de rompre le contact et de prendre du
champ. Avant le doute, je suis comme n'étant pas, vivant
confusément dans le monde des apparences, *prévenu* par
la vie du corps ou de la société, mû par une espèce d'opinion, d'origine sensible ou sociale, qui ne dépend pas de
moi et ne m'exprime aucunement. La crédulité est primitive ; seulement elle n'exprime que ma vie corporelle ou
sociale, non ma vie spirituelle. Et c'est précisément parce
qu'il prend conscience de soi dans sa résistance à l'égard du
donné sensible ou de la pression collective grâce à l'ascèse
du doute que l'esprit se saisit comme personne, comme Je.
A partir de Descartes le personnalisme est fondé, c'est-
à-dire la philosophie qui sait qu'il est une subjectivité inaliénable, qui ne fait qu'un avec la liberté et s'exprime
d'abord par ce pouvoir de recul et de refus qu'on appelle le
doute et qui est la condition de toute connaissance et de
toute action proprement humaines. En face du malin
génie j'expérimente donc ma liberté dans l'exercice même
du doute ; personne ne peut m'obliger à affirmer en dehors

de la certitude lorsque j'ai une fois décidé de suspendre mon
jugement jusqu'à l'évidence — évidence qui ne s'imposera
jamais à moi que dans la mesure où je dirigerai ma libre
attention vers elle. A toutes les ruses du grand trompeur
ma volonté saura résister, inébranlable, puisqu'il est en
son pouvoir de douter. Telles sont à la fois l'audace et la
fermeté de Descartes, ce cavalier seul qui partit un jour à
la conquête du monde.

II. — La dialectique du doute

Pour soutenir une aussi ferme, mais aussi difficile
décision, il faut la fonder en raison. On se tromperait du
tout au tout si l'on déduisait de ce qui précède que les
motifs du doute sont sans importance ou sans intérêt. Ce
sont eux seuls au contraire qui vont nous faire mieux
comprendre la dialectique cartésienne en déterminant sa
direction. Il importe donc extrêmement de reprendre une
fois de plus cette analyse célèbre et de rappeler brièvement
les raisons du doute cartésien. Chaque raison a une signification, qui concourt à dégager le sens de l'ensemble :
*le doute cartésien a pour but de nous dégager de tout dogma-
tisme.* C'est en effet le dogmatisme que Descartes rencontre
d'abord sur sa route — et par dogmatisme il faut entendre
une *adhésion immédiate et spontanée au contenu de la repré-
sentation.* Le dogmatisme se présente d'ailleurs sous deux
formes : commune, scientifique. C'est ce double dogmatisme que Descartes va exorciser.

Le dogmatisme du sens commun d'abord consiste en
quelque sorte à prendre possession immédiate du contenu
de la connaissance sensible : il est l'adhésion naïve et irréfléchie du sujet à l'objet, la confusion du sujet et de l'objet.
C'est en somme la crédulité, c'est-à-dire la croyance en
tant qu'elle est antérieure au doute, et ne le soupçonne
même point. Toute image d'objet détermine presque infailliblement une croyance à l'existence de l'objet tel qu'il est

perçu, et voilà le dogmatisme du sens commun. Il est identique à ce que Renouvier appellera le *vertige mental*, et qui
consiste dans la prédominance de la vie spontanée sur la
vie réfléchie. Descartes va le dénoncer grâce à deux arguments. Il montre d'abord que les sens parfois nous trom-
pent, qu'il y a des illusions des sens. Cette observation
simple a pour but de nous faire douter de l'exactitude de
nos perceptions. Peut-être les choses ne correspondent-elles
pas exactement à mes sensations, puisque je puis me tromper en les percevant. C'est ensuite l'argument du rêve, qui
va beaucoup plus loin. Il montre que non seulement les
choses ne sont pas nécessairement telles que je les connais,
mais qu'elles ne sont peut-être pas du tout. Il se pourrait
que le plan de la réalité fût tout entier une illusion. On
peut avoir affaire à des réalités qui sont vues, touchées,
senties sans qu'elles existent. Par conséquent c'est l'existence du même monde extérieur, d'un monde extérieur qui
est ici mise en doute.

Les arguments précédents portent contre le sensible,
mais non contre l'intelligible, ils ébranlent le dogmatisme
du sens commun, mais non ce qu'on pourrait appeler le
dogmatisme scientifique. Nous pouvons en effet décomposer
l'univers en éléments d'intelligibilité qui n'ont pas besoin
d'exister. Il semble bien alors que le doute ne saurait les
atteindre. Si je puis à la rigueur douter de ce qui a sa source
dans l'expérience, comment mettrais-je en doute les vérités
mathématiques. « Car soit que je veille ou que je dorme,
deux et trois joints ensemble formeront toujours le nombre
cinq, et le carré n'aura jamais plus de quatre côtés ; et il ne
me semble pas possible que des vérités si claires et si appa-
rentes puissent être soupçonnées d'aucune fausseté ou
incertitude » (première *Méditation*). Cependant contre cette
seconde forme, plus élevée, de dogmatisme Descartes fait
aussi valoir deux raisons, la première se trouvant dans le
Discours, non dans les *Méditations*, la seconde dans les
Méditations, non dans le *Discours*, tandis que les *Principes*

les réunissent toutes deux, en insistant sur la deuxième.

D'abord il y a des erreurs de raisonnement comme il y a des erreurs des sens. Si les secondes m'obligent à révoquer en doute la perception, les premières doivent obliger à révoquer en doute la science. « Et, pour ce qu'il y a des hommes qui se méprennent en raisonnant, même touchant les plus simples matières de géométrie, et y font des paralogismes, jugeant que j'étais sujet à faillir autant qu'aucun autre, je rejetai comme fausses toutes les raisons que j'avais prises auparavant pour démonstrations » (*Discours*, IVe Partie). Le second argument c'est la fameuse hypothèse du malin génie que nous rappelions tout à l'heure. Quelle en est la signification ? Pour Hamelin c'est la supposition de l'irrationalité foncière de la nature, d'une sorte de violence que le monde ferait subir à l'intelligence. C'est là une explication très intéressante pour comprendre la philosophie d'Hamelin, mais non celle de Descartes. En réalité l'hypothèse du malin génie est bien plutôt une sorte de coup d'État de la volonté qui, pour pousser le doute à bout, s'avise de supposer l'existence d'une volonté supérieure au monde, au-dessus de la nature et qui prend tout son plaisir à me tromper : c'est l'hypothèse d'une volonté radicalement mauvaise, c'est-à-dire du pessimisme intégral. Mais pour le but qui nous occupe il suffit de signaler que si le doute est ici possible, c'est qu'il y a deux moments dans le raisonnement. Deux et trois joints ensemble, font cinq, mais entre deux et trois d'une part et cinq d'autre part il y a un écart qui laisse place à l'intervention du malin génie. Il y a du temps introduit à l'intérieur même du jugement et c'est cela qui permet le doute. Le doute ne sera écrasé que si je découvre un jugement de pure intériorité où le temps n'intervienne plus.

Ces divers arguments nous amènent à concevoir le doute comme un effort pour dégager le jugement de son contenu. C'est un exercice volontaire qui porte sur l'opération même du jugement. Or le contenu du jugement c'est, le plus souvent, ce qui nous est fourni par les sens — d'autant plus que nous avons été enfant avant d'être homme, c'est-à-dire que nous avons pensé en fonction des besoins du corps, ce qui est la principale source de la *prévention*. Et c'est précisément parce que nous sommes plus particulièrement liés à la connaissance sensible qu'il faut opérer l'effort le plus important, mais aussi le plus douloureux, pour détacher le jugement de son contenu sensible, matériel. Aussi, dans l'*Abrégé*, Descartes dit-il qu'il met en avant les raisons pour lesquelles on peut douter « particulièrement des choses matérielles ». Mais le ressort du doute c'est partout et toujours un effort d'adéquation et d'intériorité. Douter en somme c'est détacher le jugement de son contenu, le sujet de l'objet. Grâce au doute le sujet se distingue peu à peu de l'objet au lieu d'y adhérer et de ne faire qu'un avec lui : il s'affirme lui-même et découvre sa personnalité spirituelle. Le doute apparaît ainsi comme l'expression la plus profonde de la liberté de l'esprit : il est, suivant la formule de saint Augustin, la liberté même. Du doute il faut dire qu'en établissant une distance entre nous et l'objet de notre croyance il manifeste la primauté du sujet. C'est dans la mesure où je doute que je trouve le spirituel. Le doute cartésien est une méthode de découverte de l'esprit.

III. — La spiritualité de l'esprit

Ainsi se dégage la signification essentielle du doute cartésien. C'est bien une méthode pour nous élever de la nature matérielle à la nature spirituelle ou, suivant la terminologie platonicienne, du monde sensible au monde intelligible ; son rôle c'est d'*abducere mentem a sensibus*, pour reprendre l'expression si souvent employée dans les *Lettres*. Et telle est la raison profonde pour laquelle le doute est avant tout œuvre de volonté : c'est un exercice, une ascèse. Descartes appartient à la grande tradition plato-

nicienne et augustinienne. En un sens la philosophie est
bien aussi pour lui un *exercice de la mort*, entendons une
méthode pour échapper au corps et découvrir l'esprit.
Suivant une suggestion de M. Gilson, on peut ouvrir ici de
magnifiques perspectives historiques. Descartes se trouve
en présence des augustiniens dans la même situation que
saint Augustin vis-à-vis des platoniciens, et Platon vis-à-
vis des arphiques. Il leur dit : « Vous avez bien compris
l'essence de la philosophie qui est de s'élever du sensible à
l'intelligible, du corporel au spirituel. Seulement vous
n'avez pas trouvé un moyen suffisamment intellectuel, qui
est le doute. » C'est la seule manière d'interpréter ce texte
significatif du début des *Réponses aux secondes objections :*
« De plus à cause que nous n'avons eu jusqu'ici aucunes
idées de choses qui appartiennent à l'esprit qui n'aient été
très confuses et mêlées avec les idées des choses sensibles, et
que ç'a été la première et principale cause pour quoi on n'a
pu entendre assez clairement aucune des choses qui sont
dites de Dieu et de l'âme, j'ai pensé que je ne ferais pas peu
si je montrais comment il faut les reconnaître ; car encore
qu'il ait déjà été dit par plusieurs que, pour bien concevoir
les choses immatérielles ou métaphysiques, il faut éloigner
son esprit des sens, néanmoins personne, que je sache, n'avait
encore montré par quel moyen cela se peut faire. » Texte
capital insuffisamment utilisé par les commentateurs, et qui
établit clairement et que le but de la philosophie c'est
d'éloigner son esprit des sens et que le seul moyen pour y
parvenir est le doute. L'attitude de Descartes est ici celle
même de Platon dans le *Phédon* — mais d'un Platon qui a
découvert la véritable méthode intellectuelle pour se sui-
cider en quelque sorte, c'est-à-dire pour échapper à ce
tombeau qu'est le corps et atteindre l'esprit. Comprend-on
maintenant en quel sens profond le doute est œuvre de
volonté, une véritable ascèse ? Comprend-on aussi que c'est
une ascèse à la fois intellectuelle et morale et que les raisons
de douter, en détachant l'esprit des sens, c'est-à-dire le

jugement de son contenu habituel, importent extrêmement
à la pleine réussite de l'effort cartésien ?

Le doute est donc bien l'effort par lequel l'esprit se
détache de tout contenu, de tout ce qui n'est pas lui, et
c'est en le portant à l'extrême que l'esprit finit par se
saisir comme pensée pure : le doute, qui n'est en somme que
la volonté de recevoir la première évidence, celle du *Cogito*,
est le plus grand effort qui ait été tenté pour spiritualiser
l'esprit. Pousser le doute assez loin c'est arriver à se saisir
uniquement comme être pensant, c'est être détaché entièrement de toute impression matérielle pour ne plus saisir
que l'unique évidence de la pensée. Et c'est pour cela,
parce que le doute est l'exercice même de la pensée et le
seul exercice de la seule pensée, dégagée de tout contenu,
qu'il est le seul acte uniquement spirituel. Le doute aboutit
à la prise de possession de l'esprit par lui-même dans son
propre exercice. Et ce qui est saisi ce n'est pas un esprit
impersonnel, mais le Je. C'est en tant que je doute des
apparences, en tant que je m'éloigne de l'erreur vers la
vérité, en tant que je fais acte de sincérité que je me pose
dans l'existence. Auparavant j'étais à moi-même comme
n'existant pas, je vivais d'une manière purement automatique dans le domaine des apparences, du *vertige* : car ce
qu'on appelle vertige c'est l'objet s'imposant à moi sans
moi, c'est l'impossibilité de douter, c'est-à-dire la négation
du sujet. Le vertige c'est l'affirmation immédiate, le doute
c'est le pouvoir de négativité de l'esprit qui permet une
affirmation médiate et réfléchie, c'est-à-dire personnelle.
C'est donc dans la résistance même à ma crédulité à l'égard
du donné sensible ou de la pression sociale que je prends
conscience de moi et me crée en tant qu'esprit pensant : le
doute c'est la prise de conscience de la personne. Le *Cogito*
n'est donc pas un second moment de la dialectique cartésienne, il n'est pas postérieur au doute, il est l'esprit se
saisissant lui-même en tant que spiritualité pure dans
l'ascèse du doute. Par conséquent rien de plus opposé au

doute que ce cours ordinaire de la vie qui n'est pas autre chose que le point de vue de l'union de l'âme et du corps, c'est-à-dire de la confusion de la nature spirituelle et de la nature matérielle. Or c'est vers cette confusion que tous mes préjugés, et la vie même, m'entraînent. D'où la nécessité pour la volonté de se raidir encore, de se raidir toujours et de procéder à un dernier coup d'État, qui consiste à me tromper moi-même, à déclarer faux ce qui n'est que douteux (ce que n'a pas compris Gassendi qui appelle cela remplacer un préjugé par un autre) afin d'échapper au corps pour me réfugier dans l'esprit. Le doute c'est l'unique moyen pour atteindre la nature spirituelle dans toute sa pureté. Et Gassendi qui croyait railler en s'adressant à un esprit pur *(mens)* n'avait précisément pas compris que le doute méthodique avait pour but en effet d'atteindre l'esprit pur et de devenir pur esprit.

Par là peut-être comprend-on mieux certains passages obscurs, et l'intériorité, oserions-nous dire, du *Cogito, ergo sum* et du *Cogito, ergo Deus est* au doute. Le doute est l'unique moyen pour bien concevoir les choses immatérielles ou métaphysiques. Il s'ensuit que celui qui ne s'est pas exercé assez longtemps au doute est incapable de rien entendre à la métaphysique — il s'ensuit par conséquent que celui-là ne saurait rien comprendre à la véritable nature du sujet pensant et de Dieu même. C'est que dans le doute même est incluse une affirmation déjà, affirmation sans laquelle le doute ne pourrait se produire et qu'on ne peut suspecter ou dont on ne peut essayer de s'affranchir sans la poser à nouveau par cela seul : l'affirmation de la pensée. Ce qui rend absolue l'évidence du *Cogito* c'est qu'il énonce une affirmation incluse en toute affirmation comme en toute négation : le doute poussé jusqu'au bout suppose l'affirmation d'une pensée par laquelle seule il existe, et plus le doute est poussé à l'extrême plus aussi l'affirmation de cette pensée est profonde. Tout jugement même négatif, est en son fond une pure affirmation, puisqu'il exprime

toujours une Pensée. Le doute ultime serait un essai de
négation de la pensée ; mais on ne peut nier la pensée que
par un acte de pensée qui la pose à nouveau. Le *dubito*
n'est possible que si la négation qu'il traduit s'appuie sur
l'affirmation que traduit de son côté le *Cogito* : le pouvoir de
négation, caractéristique de notre esprit fini et qui s'expérimente dans le doute, est un moyen nécessaire, mais n'est
qu'un moyen pour s'élever à une affirmation plus haute.
Négation et Affirmation sont le dialogue continu, la dialectique même d'une pensée imparfaite en quête de la pensée
parfaite : se saisir doutant c'est se saisir esprit fini qui
cherche l'infini, c'est se saisir esprit fini lié à l'esprit infini
et n'existant que par lui. En me découvrant dans le doute
je découvre Dieu ou, si l'on préfère, je me découvre dans
ma relation à Dieu. Aussi Descartes revient-il à chaque
instant sur cette idée que ses preuves de l'existence de Dieu
dans le *Discours* ne valent rien parce qu'en un ouvrage écrit
en langue vulgaire, où il a voulu que les femmes mêmes
pussent entendre quelque chose, il n'a pas osé pousser
assez loin les raisons des sceptiques. Et ainsi il y a un lien
étroit entre le doute et les preuves cartésiennes de l'existence de Dieu : « Car il n'est possible de bien connaître la
certitude et l'évidence des raisons qui prouvent l'existence
de Dieu selon ma façon qu'en se souvenant distinctement
de celles qui nous font remarquer de l'incertitude en
toutes les connaissances que nous avons des choses matérielles » (*Lettres*, A. T., t., I, p. 560). Allons plus loin. Il y a
un lien étroit, en stricte orthodoxie cartésienne, entre le
doute et la compréhension même, dans la mesure où elle
nous est accessible, de la nature divine, si bien que celui qui
aurait poussé l'ascèse du doute assez loin acquerrait par là
même une connaissance presque intuitive de Dieu. En
effet Dieu c'est l'Esprit pur et puisque le doute est le
suprême effort de spiritualisation de l'esprit il est bien clair
que s'y exercer c'est se rapprocher de Dieu même. « Même,
en s'arrêtant assez longtemps sur cette méditation (la

première) on acquiert peu à peu une connaissance très claire et, si j'ose ainsi parler, intuitive, de la nature intellectuelle en général, l'idée de laquelle étant considérée sans limitation est celle qui nous représente Dieu, et limitée est celle d'un ange ou d'une âme humaine » (*Lettres*, A. T., t. I, p. 353).

De l'analyse du doute, comme de l'inquiétude, nous garderons la primauté du sujet : en son essence le doute — l'indubitable doute comme dit Alain — est la condition première de toute affirmation personnaliste. L'existentialisme sartrien l'a bien reconnu. Et le marxisme lui-même ne saurait subsister sans cet assentiment personnel et libre qui est comme la présence du sujet à ce qu'il pense. Si, ainsi que nous l'avons rappelé, le but dernier du communisme est la libération des personnes, on ne comprendrait pas qu'il commence par nier ce qu'il veut instaurer. Il y a chez les marxistes une défiance de toute intériorité qui s'explique aisément : la vie intérieure sert trop souvent de prétexte à toutes les trahisons et à toutes les violences, et la caractéristique de la « belle âme » repliée sur son individualité c'est la mauvaise foi, d'autant plus féroce qu'elle est plus inconsciente. Mais de ce que la vie spirituelle peut se dégrader en vie intérieure, il ne s'ensuit pas qu'il faille la supprimer, de ce que le sujet peut se refermer sur lui-même pour ne plus vivre que de soi et se satisfaire de son drame intime, il ne s'ensuit pas qu'il faille le nier. Le *Cogito* est une acquisition définitive de l'homme ; on ne peut s'y soustraire sans se détruire. Et c'est tout de même un paradoxe étrange que le marxisme, qui se propose de construire une société où il n'y ait plus d'aliénation, c'est-à-dire où tous les hommes soient des *sujets* les uns pour les autres, en vienne parfois à oublier ou même refuser ce *Cogito*, sans lequel tout individu n'est qu'un *objet* pour soi-même et pour autrui. Encore convient-il d'éviter de fausses interprétations ou de dangereuses dégradations.

Il faut bien rappeler, ce que néglige peut-être trop

Descartes, que si le *Dubito* est l'occasion du *Cogito*, le
monde, lui, est l'occasion nécessaire du *Dubito*. Celui qui
révoque tout en doute ne peut écarter absolument les choses
pour se trouver seul en face de lui-même : le monde subsiste en face de lui, au moins comme occasion de douter ou
de suspendre son jugement. C'est le doute, dit Gaston Ber-
ger, qui permet l'affirmation de la pensée, mais c'est le
monde, problématique ou réservé, qui permet l'exercice du
doute. Sans le monde, point d'application de ma pensée,
je ne puis me découvrir esprit.

La même remarque vaut en ce qui concerne mon corps.
Le *Cogito* nous révèle que l'essence de l'esprit est de se
connaître ; il est conscience de soi. Mais si l'esprit se connaît
il n'en est pas de même de l'âme. L'esprit se définit par le
Je pense : il est pensée pure. L'âme au contraire c'est
l'esprit en tant que lié à un corps. Et c'est précisément
parce que l'âme est substantiellement liée au corps qu'elle
ne peut se voir elle-même. Ou, plus exactement, le *Cogito*
proprement humain ne peut qu'avoir les caractères de la
temporalité humaine : il est moins possession immédiate que
lente et difficile conquête. Aussi le définissions-nous comme
la connaissance en mouvement d'un sujet qui toujours
s'affirme et poursuit de s'affirmer parce que jamais il ne se
possède immobile. Le temps, cette espèce de halètement
après l'être, empêche la *présence* totale de la personne à
elle-même. Il y a là un mystère qui est celui de la condition
humaine, et que Descartes a toujours respecté. Pas plus
chez lui que chez Malebranche il n'y a de vision de l'âme
par elle-même. L'*âme se voit esprit, et tel est le Cogito.* Par
l'ascèse du doute, par l'intellection l'âme se sépare du corps
et se saisit elle-même en tant qu'esprit, c'est-à-dire en tant
que pensée pure. Mais l'intellection n'est pas une mort, et
tout en se séparant intellectuellement du corps l'âme lui
est substantiellement unie. Toute la question est donc de
savoir si l'on mettra au principe de la connaissance de soi
la seule vue claire de l'esprit par lui-même ou la reconnais-

sance de ce je ne sais quoi d'obscur, d'opaque, qui nous demeure en partie inintelligible, et qui est précisément l'union de l'âme et du corps. « La façon dont l'esprit est uni au corps ne peut être comprise par l'homme et cependant c'est l'homme même », disait saint Augustin. L'essence de l'esprit c'est bien la pensée, mais ce n'est point l'essence de l'homme. Aussi comprend-on que depuis le *Cogito* la connaissance de soi se soit engagée dans deux voies fort différentes : l'une qui consiste à découvrir les lois de l'esprit et qu'on appelle l'analyse réflexive, l'autre qui s'efforce de scruter les racines biologiques et sociologiques de la pensée, l'entremêlement de l'âme et du corps physique et social et qui a trouvé ses plus hautes expressions dans la psychanalyse freudienne et la critique marxiste. Or ces deux voies ne nous apparaissent pas opposées, mais complémentaires. La méthode réflexive nous montre qu'il n'y a rien d'humain, dans l'individu ou la société, sans un retour sur soi pour s'assumer en quelque sorte et se prendre en charge : sans attention et réflexion l'homme est comme en dehors de lui, il n'est pas présent à ce qu'il pense, il n'est pas présent à ce qu'il fait, il n'est même pas présent à ce qu'il est. Mais cette analyse réflexive n'épuise pas l'homme ; et dans la mesure même où elle arrive à s'épurer pour atteindre les lois de l'esprit pur, elle nous prouve combien nous en sommes éloignés. En nous découvrant notre référence à l'éternité, elle nous montre que nous ne sommes pas éternels. Marxisme et freudisme d'autre part éclaircissent chaque jour davantage la condition humaine ; ils établissent que l'esprit humain n'est pas seulement structure, mais événement, que nous sommes histoire. En nous ramenant à chaque instant à notre *situation* biologique et sociale, ils pourchassent la mauvaise foi et nous obligent à une action immédiate et effective. Mais plus ils découvrent les soubassements de la pensée et ses conditionnements multiples, plus ils établissent qu'il y a dans la pensée authentique une transcendance que ses conditions n'arri-

vent pas à expliquer et à réduire. La peur de nos contemporains devant les explications freudiennes ou marxistes a
quelque chose de risible et de proprement puéril. Comme si
on ne pouvait sauver l'esprit qu'en le détachant de l'homme.
C'est oublier que l'auteur des *Méditations* est aussi l'auteur
des *Passions de l'Ame*. Tout ce qui permet de comprendre
davantage ne peut en définitive que profiter à l'esprit. Le
Cogito une fois découvert ne saurait aboutir à je ne sais
quelle rumination mentale, sous prétexte de conserver sa
pureté. Le *Je pense* est transcendant à tout objet ; mais il ne
peut s'exercer et se connaître lui-même qu'en s'appliquant
à un objet. Il nous faut donc définir une sorte de connaissance proprement humaine qui ne soit ni pure subjectivité
ni pure objectivité, mais compénétration mutuelle du sujet
et de l'objet où le sujet conserve sans cesse la conscience de
sa suprématie. C'est précisément ce qu'on appelle croyance.

CHAPITRE IV

LA CROYANCE

De nos analyses précédentes résulte que ce qu'on appelle depuis Kant la *théorie de la connaissance* devrait devenir plus précisément une *théorie de la croyance.* Le problème essentiel du personnalisme, le *test* sur lequel on peut et on doit le juger est celui de la nature et de la valeur de la croyance. Ce que je ne sais pas, aimait à répéter Goblot, je l'ignore. Et par savoir il entendait uniquement la connaissance scientifique : tout ce qui n'est pas science est non-savoir, non-connaissance. La raison seule est raisonnable, l'intelligence seule est intelligente, la condition de la certitude est de se défendre contre la partialité du sentiment et l'arbitraire de la volonté. La croyance peut donc être *bonne,* c'est-à-dire utile, puisque la science est inachevée et que les actions de la vie ne souffrent pas de retard ; elle ne saurait être *vraie.* Aussi faut-il lui refuser toute valeur de connaissance. Elle est purement subjective et l'insincérité intellectuelle consiste précisément à prendre pour un savoir ce qui n'en est pas un. « Dans la notion de croyance, il y a quelque chose de louche : la croyance c'est ce qui, sans être un acte de connaissance, veut se faire passer pour tel. » Le rationalisme, si l'on veut, peut bien se doubler d'une sorte de fidéisme, mais à condition que leurs domaines restent entièrement séparés, que le premier commande le jugement et le second la pratique : il faut savoir que l'on croit, et non pas croire que l'on sait. L'essentiel dans l'ordre de la connaissance est de rejeter impitoyablement ce qui n'est pas certain : toute volonté de croire doit se transformer en volonté de douter.

Ce rationalisme, qui apparaît aujourd'hui bien étroit et dépassé, relève d'une honnêteté intellectuelle qui n'est pas sans complicité dans nos cœurs. Une conception de la croyance qui ne donnerait pas satisfaction à ce qu'il comporte d'exigences légitimes serait sans valeur et purement subjective en effet. Le tort de certain existentialisme est de s'y opposer sans intégrer son intention véridique. A vrai dire ce rationalisme n'est pas très éloigné de l'attitude kantienne. Sans doute Kant accordait-il davantage à la réflexion philosophique : établissant entre la raison théorique et la raison pratique une différence de niveau au profit de la seconde, il privilégiait *en un sens* le fidéisme aux dépens du rationalisme. Je suis venu, disait-il, supprimer le *savoir* pour y substituer le *croire*, ce qui ne signifiait pas détruire la science, mais la situer. La raison spéculative n'arrivait pas à fonder métaphysiquement les vérités nécessaires à la raison morale : au moins écartait-elle les obstacles et permettait-elle de *poser* ce qu'elle n'avait pas le droit d'*affirmer*. Il n'en reste pas moins que pour lui aussi la croyance désigne un assentiment parfait parce qu'il exclut le doute, mais qui reste subjectif parce qu'il n'a pas le caractère intellectuel et logiquement communicable du savoir. La science et la foi sont hétérogènes : elles ne peuvent mutuellement ni se prêter secours ni se faire tort.

Or ce qu'implique une telle attitude c'est que l'assentiment légitime est celui qui est détaché en quelque sorte du sujet concret, de la personne pour relever de la seule raison : on peut sans doute aller à la vérité « avec toute son âme », mais on ne connaît qu'avec cet œil de l'âme qu'est l'intelligence. La logique n'est que la psychologie d'une *intelligence pure*, séparée, si l'on peut dire, de ses conditions réelles d'exercice. Le savoir scientifique vaut pour tous, parce qu'il est en nous l'œuvre de ce qu'il y a de plus impersonnel,

de ce qui est commun à tous : la raison. C'est l'impersonnalité de la science qui fait son objectivité, c'est-à-dire son
universalité : la seule connaissance valable est la connaissance objective, parce qu'il y a en elle, au moins en droit,
une capacité d'universalisation indéfinie. Le personnalisme
au contraire prétend que ce qu'on appelle à tort l'impersonnalité de la connaissance vraie n'est que la plus haute
conquête et le sommet de la personnalité, que toute connaissance, même la plus scientifique, est en réalité l'œuvre de la
personne tout entière — et qu'elle doit l'être. Toute la
question est donc de savoir si c'est l'impersonnalité ou la
personnalité qui fait la connaissance authentique.

I

Le problème se pose d'abord, classiquement, sous
l'aspect des rapports entre le jugement et la croyance,
c'est-à-dire entre l'entendement et la volonté. Pour Descartes il y a distinction et c'est la volonté qui porte ou qui
suspend le jugement sur ce que l'entendement se représente : c'est d'ailleurs ce qui explique comment il a cru
pouvoir à son gré « rejeter toutes les opinions qui étaient
entrées jusque là en sa créance » et leur substituer provisoirement un doute universel. Du doute cartésien nous
avons montré qu'il implique un pouvoir de diriger son
attention, de détacher le jugement de son contenu, de gouverner ses pensées. Douter c'est choisir parmi la multiplicité
de nos croyances celles qui sont fermes et fixes et méritent
d'être affirmées — c'est aussi, et par le même mouvement
de pensée, nier les autres. Le doute est l'affirmation dans la
croyance de la supériorité et de la liberté du sujet.

Pour Spinoza au contraire il n'y a pas de différence
entre la volonté et l'entendement, ou plutôt la volonté
c'est l'entendement lui-même en tant qu'il affirme ou qu'il
nie. Aussi penser et croire sont deux choses identiques.
L'idée n'est pas un fait de passivité, un objet que l'entende-

ment se contente de recevoir et de contempler ; elle est
active et vivante. L'idée « n'est pas comme une sorte de
peinture des choses..., comme une figure muette sur un
tableau », c'est « une conception de l'esprit ». Ce qui signifie
que la force d'affirmation n'est pas extérieure, mais inhérente à l'idée même. Le principe et la garantie de la croyance
se trouvent dans la vérité *intrinsèque* de l'idée et dans
l'impossibilité radicale du doute. Nul besoin par conséquent
de chercher au dehors, dans la conformité à un objet, une
autre garantie de notre croyance. Ce serait en effet considérer l'idée comme « une peinture des choses » et se demander si la peinture correspond à la réalité. Mais un tel
contrôle serait impossible, car un doute de ce genre exige-
rait pour se résoudre une autre garantie encore, ce qui
entraînerait une génération à l'infini des puissances du
doute. Ainsi la vérité de l'idée, ce qui provoque la croyance
ne peut consister dans un caractère extrinsèque de l'idée,
c'est-à-dire dans un rapport entre l'idée et l'objet, mais
dans un caractère intrinsèque. Or ce caractère intrinsèque
de l'idée c'est sa distinction : toute idée qui a la clarté et la
force nécessaires s'impose et entraîne l'assentiment de
l'esprit. Il faut donc distinguer deux sortes d'idées : l'idée
adéquate dont la distinction est absolue, qui ne laisse place
à aucun élément d'inconnu et qui emporte l'adhésion et la
certitude en raison même de sa vision totale, l'idée inadéquate, qui contient en elle une part d'inconnu et qui
comporte toujours un doute, même si nous en sommes
subjectivement certains. Le vrai est à lui-même sa propre
marque : toute idée, dans ce qu'elle a de positif, entraîne
nécessairement la croyance. Le doute alors ne peut être
qu'une fluctuation de l'imagination : il est l'effet en nous de
l'insuffisance et de la faiblesse, c'est-à-dire de l'inadéqua-
tion, de l'idée.

Cette conception spinoziste ne saurait évidemment
expliquer le phénomène psychologique de la croyance : elle
ne rend compte ni du progrès de la pensée ni de l'erreur.

C'est ce qu'a montré fortement Lagneau en reprenant
l'analyse cartésienne du doute. Celui-ci est inhérent à
l'activité de l'esprit en tant qu'il se détache des formes
qu'il a posées et les surmonte par un mouvement graduel.
S'il n'y avait que des idées sans acte ou mouvement de la
pensée, le doute serait inexplicable : il y aurait du doute en
nous, c'est-à-dire que les idées inadéquates n'arrivant pas à
s'affirmer produiraient une sorte d'oscillation de l'esprit,
mais ce n'est pas nous qui douterions. On n'aurait en effet à
considérer que la substitution d'une idée à une autre et
cette substitution serait purement objective : la pensée
n'en serait que la constatation ou la traduction. En somme
ce qui est inexplicable dans le spinozisme c'est l'*engagement*
du sujet dans sa croyance. Nous n'affirmons pas le vrai : il
s'affirme en nous. L'intention personnaliste de la philosophie hamelinienne, malgré sa trahison dans un système
clos, ne pouvait pas ne pas le relever. « L'adhésion d'un
esprit à la vérité ou à ce qu'il regarde comme tel, l'opération
par laquelle un sujet s'approprie et pose pour lui-même
l'objet est la croyance. Sans sujet il n'y a pas de croyance :
partant la croyance ne peut pas se définir en termes
exclusivement intellectuels et prétendument objectifs :
car la fonction essentielle du sujet est la volonté et celle-ci
est ou suppose la tendance, puis finalement implique
l'affectivité. » Par là se manifeste la différence entre le
simple jugement et la croyance : celle-ci n'exige pas seulement en plus de l'intelligence, le vouloir, mais l'être tout
entier. Elle est un état psychologique extrêmement
complexe qui entraîne des idées, des sentiments et des
actes : elle est le résultat d'une interpénétration totale
entre le sujet et l'objet. Lier deux termes et construire un
rapport ce n'est point précisément croire, mais juger. « A la
rigueur, disait Brochard, on pourrait comprendre une
vérité géométrique et ne pas y croire. » Pour qu'il y ait
croyance, il faut donc quelque chose de plus à savoir que ce
jugement soit intégré à notre être total, à notre personnalité

intégrale. Peut-être à la limite, pourrait-on concevoir, ou plutôt imaginer, une raison qui soit un pur miroir de la réalité : les images seraient en elle sans être à elle. Telle n'est pas la conscience. Il y a en elle un besoin d'adhérence au réel qui est assuré par la spontanéité de la croyance. Celle-ci est donc ce surplus du jugement par quoi est maintenue l'adhérence de la conscience à ses représentations. Il est vrai que l'esprit vit dans un climat d'affirmation : il existe une espèce de foi élémentaire en soi-même, de confiance en soi, d'affirmation première de soi qui s'exprime dans la multiplicité de nos croyances et jusque dans le doute méthodique. La croyance en somme, cet engagement total, pourrait se définir la *personnalité du jugement*.

Aussi, lorsqu'il s'agit de Dieu, a-t-on raison de parler, même d'un point de vue strictement philosophique, de croyance plutôt que de connaissance. Lorsque le Concile du Vatican déclare que Dieu peut être connu par la seule lumière de la raison, il est clair que le mot ne désigne pas un savoir, une science *stricto sensu* ; il est employé au contraire dans sa signification la plus générale pour ne pas imposer tel ou tel genre de preuves, pour affirmer seulement qu'en dehors de la foi proprement religieuse il y a un itinéraire naturel de l'homme vers Dieu. En d'autres termes, malgré des erreurs ou abus d'interprétations, le Concile ne fait pas du déisme à la mode du xviiie siècle un article de foi ; il se propose bien plutôt de reconnaître l'autonomie et la valeur de la philosophie. Qu'est-ce que le déisme en effet, sinon une sorte de relâchement de la pensée philosophique, son objectivation ? Le déiste rabat le plan de la compréhension philosophique sur celui de l'explication scientifique — et naturellement pseudo-scientifique. Il explique le monde par Dieu comme on explique un état du monde par un état antécédent ou un objet fabriqué par son auteur. Le sophisme d'abord est évident de faire un usage transcendantal du principe de causalité : comme l'a montré Kant, de ce qu'il y a de la causalité dans le monde il ne

s'ensuit pas qu'il y ait une causalité du monde. Mais surtout
un tel mode d'explication, qui rendrait, comme nous le
disions, la cause dernière homogène au tout de l'explication,
n'atteindrait qu'un Dieu, sorte de grand fabricateur et
architecte. Une telle conception ne paraît guère conci-
liable avec celle qui est issue d'exigences morales et religieuses, que la philosophie doit non seulement ne pas
contredire mais préparer. Les preuves de l'existence de
Dieu, puisqu'il faut continuer à employer cette expression
traditionnelle, mais malheureuse, ne sauraient être scienti-
fiques et objectives, mais philosophiques et réflexives.

C'est dire que de telles preuves ne peuvent être que
recherche de signification et dégagement de sens. Admettre
Dieu, c'est refuser l'absurde. Aussi disions-nous que toute
grande philosophie est une séméiologie. Philosopher, c'est
supposer que le monde a un sens, c'est croire en un sens et,
à partir de là, l'envisager comme un texte à chiffrer, une
sorte de langage à comprendre. Telle est excellemment
l'attitude de Pascal. Quoi qu'on en ait dit, il n'y a pas chez
lui proprement des *preuves*, mais des *signes* ou des *marques*
de Dieu. Car par les preuves on prétend remonter de la
nature à son auteur tandis qu'en cherchant dans l'univers
des *traces* de Dieu, comme dira Jacques Rivière, il faut
déjà le connaître de quelque façon. On ne découvre à la
fin que ce que l'on avait au commencement : pour aboutir
à Dieu il faut en partir. La preuve ici n'est que l'explicitation d'une foi naturelle et implicite, d'une sorte de
croyance, de fiance élémentaire. L'homme est exigence de
sens : Dieu c'est le sens du monde et le monde le langage de
Dieu. Car si Dieu a créé le monde, c'est donc qu'il parle à
quelqu'un et prouver son existence ne peut jamais être
qu'écouter ce langage, comprendre cette parole. La philosophie n'est pas connaissance, mais compréhension. Et
comprendre, c'est toujours comprendre un sens.

Seuls donc peuvent lire dans le grand livre du monde
ceux qui ont confiance en eux-mêmes. La première des

vertus, celle qui conditionne toutes les autres, est l'espérance — et d'abord l'espérance en soi-même. Il y a origi-
nairement une certaine adhésion de soi-même à soi-même,
sorte de vouloir-vivre primitif et fondamental, de tendance
de l'être à persévérer dans son être. Charité bien ordonnée
commence par soi-même — et c'est cette sorte de charité,
de croyance élémentaire en soi que se propose d'élucider le
philosophe. C'est pourquoi il est vrai que la vertu propre
du métaphysicien est l'espérance et que la négation de la
philosophie s'appelle désespoir, car elle est suicide et négation de l'homme. Philosopher c'est expliciter ce qu'implique
l'attachement à soi-même. Telle est la raison pour laquelle
la méthode de réflexion est une méthode d'implications.
Toute méditation philosophique a pour but d'établir que
cette adhésion à soi suppose et implique adhésion à Dieu,
que cette croyance implicite et élémentaire en soi-même
suppose et implique une croyance explicite et délibérée en
Dieu. Toute pensée et tout acte conduisent à Dieu, pour
qui sait aller jusqu'au bout de son itinéraire : penser et agir
c'est toujours penser Dieu et agir Dieu. Vouloir trouver et
donner un sens au monde sans passer par ce stade réflexif
est contradiction pure. Voilà pourquoi — et c'est ici ce que
Descartes a mieux vu que Pascal — l'homme du *sens* ne
peut être que l'homme de la *réflexion*. Par là comprend-on
que toute métaphysique authentique est une métaphysique
de la conscience heureuse, ou plus exactement de la joie :
car le malheur de la conscience n'est que la négation de
l'adhésion à l'Être, c'est-à-dire de la philosophie. Et cette
joie est proprement celle qui accompagne l'humilité, cette
vertu exprimant notre condition ontologique, notre relation
à l'être. La conscience philosophique est la conscience
humble, c'est-à-dire celle qui non pas s'humilie (« celui qui
se méprise s'honore du moins comme contempteur »,
Nietzsche), mais se situe. L'humilité est la vérité de nos
rapports avec Dieu, disait profondément saint Benoît.
Nul mieux qu'Auguste Comte n'a décrit et compris l'hu-

milité comme la vertu propre de l'intelligence : en nous soumettant au réel, c'est-à-dire en nous situant par rapport aux objets, elle nous *fait* vrais. Ainsi l'itinéraire de la connaissance est-il plus complexe que ne l'imagine un rationalisme étroit. C'est tout ce que nous voulons signifier en affirmant que c'est en réalité un itinéraire de la croyance. Car la croyance c'est l'indivision de l'esprit. Croire c'est s'engager tout entier, c'est adhérer totalement à soi-même, aux autres, au monde et à Dieu. La croyance est de la personne même.

C'est que le problème de la croyance, comme l'a bien vu Newman, est celui de l'assentiment : celui-ci est tout entier ou il n'est pas. L'inférence, dit Newman, a des degrés, mais l'assentiment n'en a pas. Le contenu du jugement peut avoir bien des origines ; mais l'assentiment, en quoi consiste la croyance, est purement personnel. Sans doute l'affirmation n'a pas sa valeur uniquement en elle-même ; celle-ci dépend avant tout du mouvement de pensée qui la sous-tend. Mais le grand mérite de la *Grammaire de l'Assentiment* est d'avoir montré qu'il y a entre l'*inférence* et l'*assentiment* une différence de nature, une hétérogénéité radicale ; l'assentiment n'est pas seulement la conséquence d'une inférence, il est autre qu'elle. Entre les raisons sur lesquelles s'appuie la croyance et la croyance elle-même, il y a un saut, en quoi consiste précisément l'engagement de la personne. Rien ne peut me contraindre intellectuellement que ma volonté ne l'accepte. Et c'est pourquoi notre croyance, plus que notre jugement, nous juge. La preuve en est que l'assentiment peut valablement survivre aux raisonnements qui l'ont provoqué. Nous gardons nos croyances après en avoir oublié les preuves, et ces preuves se perdent parfois dans de lointaines traditions. Il y a même des assentiments légitimes qui ne sont pas précédés d'une démonstration logique. Il y a là deux choses différentes : de même que dix mille difficultés ne font pas un doute, ainsi l'assentiment et l'inférence, c'est-à-dire la croyance personnelle et les arguments intellectuels sur lesquels elle peut s'appuyer, sont différents en nature. L'engagement de la personne est irréductible au mécanisme de la preuve. Ce qui signifie que le critère ultime de la croyance est d'un ordre supérieur à la logique et très exactement éthico-religieux.

II

Telle est en fait la croyance. Mais, objectera-t-on, c'est précisément ce qui fait son infériorité. Que l'être tout entier y participe, c'est bien certain. D'où sa subjectivité. Mais la véritable connaissance est objective. Entre la subjectivité — Goblot disait le mysticisme — de la croyance et l'objectivité du savoir il faut opter.

En réalité notre analyse a prouvé davantage : il n'est pas de science purement objective où la foi n'entre pour une part, pas de foi purement subjective où la science n'intervienne. Connaître ce n'est jamais incliner passivement l'esprit devant une évidence contraignante qui émanerait de l'objet non plus qu'imposer ses propres sentiments aux choses. La connaissance est avant tout œuvre de liberté. Or le libre-arbitre lui-même est objet de croyance et ne se découvre que dans l'acte : les arguments n'y font rien. Si l'on pouvait *prouver* la liberté, nous ne serions plus libres, puisque contraints par la preuve. Ce qui ne signifie pas qu'il n'y a aucune connaissance de la liberté, mais qu'il n'y en a pas un savoir objectif, scientifiquement démontable. Dans le doute le sujet a une expérience de la liberté, qui est une authentique connaissance : il croit en la liberté dans la mesure où il l'exerce, et il suffit de ne jamais l'exercer pour n'y plus croire. Le rationalisme le plus strict se suspend à une foi qu'il lui faut bien supposer, puisqu'elle est la condition de toute connaissance, et qui est la *foi en la raison.* Tout système scientifique dépend d'un ensemble de postulats qui délimitent son champ de recherches et d'études : ses découvertes ne valent jamais que par rapport à ces postulats initiaux, librement posés. C'est donc à un choix, très exactement à un pari, que se suspend le rationalisme lui-même. Tout le savoir humain, y compris la science, n'est qu'un *risque hardiment couru*, qui se légitime au fur et à mesure de l'œuvre accomplie, c'est-à-dire du progrès effectif de la connaissance humaine. Savoir c'est toujours engager le sujet dans l'objet, risquer une hypothèse, une idée dans les faits et y croire d'autant plus qu'elle explique davantage. Toute connaissance est un mixte de science et de foi, une croyance : croire est le propre de l'homme.

Ainsi se dégage l'erreur d'un certain rationalisme : elle consiste à analyser la raison à part, comme si elle était en nous l'étrange témoin de je ne sais quel esprit impersonnel sans rapport avec l'homme et l'humanité. Par quel abus logique a-t-on pu si longtemps supposer entre tous les hommes une sorte de faculté sans commune mesure avec toutes les autres et qui leur serait radicalement transcendante, venue on ne sait d'où et qui aurait le singulier privilège de découvrir par un effort purement contemplatif une vérité pour ainsi dire homogène et identique pour tous les esprits ? Comment a-t-on pu distinguer jusqu'à les opposer, une croyance, qui serait l'œuvre des puissances supposées inférieures de la personne, à savoir la sensibilité et la volonté, et un savoir, qui serait l'œuvre d'une raison impersonnelle sans lien avec la personnalité concrète ? *Le personnalisme au contraire est la philosophie qui réintègre la connaissance dans l'ensemble de l'activité humaine.* Si l'on veut bien reconnaître au mot *comportement* le sens profond que lui a donné Merleau-Ponty de *débat* et *explication* avec nous-mêmes, avec le monde, avec les autres — nous ajouterions avec Dieu — il faut dire que le personnalisme est la seule philosophie du comportement humain : l'intelligence n'est pas seulement la faculté d'expliquer le monde, mais la faculté de s'expliquer avec lui. Raisonner, aussi bien que vouloir ou agir, i. plique une certaine manière de se

comporter avec les choses et les êtres, de se débattre avec
eux, de nous y adapter comme de les adapter à nous. Toute
la question est de savoir si la connaissance résulte d'une
sorte de spéculation et séparation de l'intelligence ou si,
comme l'écrivait Dilthey, elle est une fonction de la vie, de
l'être concret existant. Au delà du penser, du sentir et de
l'agir il y a l'être qui pense, qui sent et qui veut ; et c'est
jusqu'à lui qu'il faut remonter pour comprendre ses multiples réactions, intellectuelles ou sensibles. Il faut, avec
Maurice Blondel, se placer en deçà de l'intelligence, de la
volonté et de la sensibilité à la source commune de ces
fonctions, dans ce dynamisme de l'être spirituel où elles
puisent leur force d'agir : la seule méthode d'analyse philosophique est de recours au *dynamisme originaire de l'être.*
Le savoir le plus intellectualisé n'est lui-même qu'un instrument. Non pas instrument de l'action, au sens pragmatiste. Mais instrument de l'être lui-même qui utilise tous ses
modes pour se réaliser et s'épanouir intégralement. Il ne
s'agit aucunement de minimiser le savoir, de le mettre
pragmatiquement au service de la volonté ou de la sensibilité, mais de reconnaître en toutes ces facultés des modalités de l'être concret. Penser c'est, comme agir ou sentir,
réagir au milieu. Toutes ces réactions ont leurs conditions
propres, mais elles ne sont ni isolées ni isolables. Elles sont
complémentaires et se rapportent toutes à l'être qui les crée
et les utilise. Le personnalisme ne peut être qu'une philosophie de la synthèse et de la totalité. La méthode réflexive
et la psychologie scientifique sont d'accord pour éclairer la
connaissance par la situation de l'homme dans l'univers :
comprendre c'est toujours se situer.

La connaissance la plus abstraite — qui joue un rôle
capital dans l'ensemble du *comportement* humain — ne doit
donc jamais être considérée en elle-même et pour elle-
même : il faut la situer dans l'ensemble des moyens que
nous avons à notre disposition pour nous réaliser. L'erreur
du marxisme comme de l'existentialisme athée est de ne

pas reconnaître tout ce qu'implique la condition humaine.
La grandeur au contraire de la dialectique blondélienne est
de fournir le sens intégral des implications du dynamisme
humain tel qu'il se laisse découvrir ou analyser dans le
connaître, l'être ou l'agir. Expliquer les fonctions de la
conscience par l'adaptation ne manque pas d'intérêt.
L'intelligence est bien en un sens la faculté qui nous adapte
au monde matériel, qui nous permet de le dominer par
l'invention et l'utilisation des machines. Le caractère
essentiel de la science moderne est d'être indissolublement
théorique et pratique, intellectuelle et technique : c'est du
même mouvement que l'humanité désormais connaît le
monde et le maîtrise. Si le monde a été donné à l'homme,
l'homme au Christ et le Christ à Dieu, l'idée d'un « Prométhée chrétien » n'a rien de contradictoire, à la seule
condition qu'elle n'épuise pas en elle-même son propre
sens. Il est très certain, comme l'ont profondément montré
Hegel et Marx, qu'il y a dans l'homme une négativité
essentielle, qui s'exprime avant tout par le travail, c'est-
à-dire par une activité négative qui est transformatrice de
l'univers. Il y a là suivant nous une condition première de
toute croyance authentique : c'est pourquoi en effet celui
qui ne travaille pas ne croit pas. Toute connaissance suppose préalablement un agir négateur, une activité laborieuse par lesquels l'homme réalise son essence, c'est-à-dire
s'universalise en humanisant le monde. « Le respect révé-
rentiel du créé consiste en son accomplissement humain,
c'est-à-dire en sa négation partielle par l'homme. » En ce
sens on peut dire que l'humanité ne connaît jamais que son
geste et son acte, transformateurs de l'univers : il n'y a de
connaissance possible que celle qui est réflexion sur une
activité négative. Contre tous les critiques du « mythe du
progrès » nous défendrions volontiers la saine confiance des
marxistes dans l'élan de conquête scientifique : nous
ignorons jusqu'où iront le savoir et le pouvoir de l'homme,
ce qui est seulement certain c'est qu'ils dépasseront toutes

les prévisions, toutes les anticipations. De même l'imagination est bien aussi un moyen de s'adapter, une fonction de façonner des fables et des mythes qui permettent à l'être intelligent de guérir ses scrupules et de vivre à l'aise : elle est faculté de compensation, réponse au milieu. Mais, comme le remarquait un jour Jean Guitton, il faut pousser plus loin une méthode si fructueuse et l'appliquer à la situation totale de l'homme. Le milieu humain n'est pas seulement physique et social, mais aussi spirituel. Nos relations essentielles s'établissent avec le monde invisible, et il y aurait à voir comment nos facultés nous y préadaptent.

Or l'intention profonde et juste du rationalisme est de vouloir sauver ce caractère essentiel de l'assentiment d'être *adhésion à la vérité.* Dans la croyance il dénonce un subjectivisme qui ne voit dans le vrai que l'objet de son désir. Qu'il y ait une croyance qui ne soit que cela, c'est certain et nous aurons l'occasion d'y revenir : en ce sens la croyance brute et spontanée pourrait se définir la *violence psychologique.* Mais telle n'est point celle dont il est question ici, qui est réflexion sur le travail et surmonte perpétuellement l'épreuve du doute. Celle-ci, plus que le savoir isolé et prétendument objectif, répond à l'*appel de la vérité.* Il ne s'agit pas en effet de posséder la vérité, mais d'être possédé par elle. Ce qu'éprouve le *croyant,* ce qu'il expérimente c'est que ce n'est pas lui qui fonde la vérité mais, si l'on peut dire, la vérité qui le fonde. L'expérience de la croyance est celle d'un être virtuel qui cherche à être et qui est vraiment par le don que la vérité lui fait d'elle-même. Croire ce n'est pas seulement s'adapter à une réalité extérieure qui serait toute donnée, c'est éprouver qu'on est transformé par sa croyance même, qu'on réalise d'autant mieux son être qu'on l'engage davantage dans le sens du vrai. La croyance authentique n'est pas subjectiviste au sens péjoratif du terme ; elle ne se confond nullement avec le vertige mental ou le vertige du vouloir. Bien au contraire ! Elle est liaison

intime, compénétration mutuelle du sujet et de l'objet ;
elle est progrès continu d'un sujet qui s'ouvre toujours
davantage au monde, aux autres et à Dieu. Ma croyance
c'est le mouvement de mon âme et je ne crois qu'à ce sans
quoi je ne serais pas. Toute la difficulté de la connaissance
humaine vient de ce qu'elle est à la fois un événement
situé de notre histoire psychologique et une référence à une
vérité éternelle universellement valable. Et c'est dans le
temps même que nous devons découvrir progressivement
ce qui le dépasse et le fonde : l'universel n'est jamais obtenu
par généralisation du particulier, mais c'est dans une expérience singulière qu'il nous faut l'entrevoir. C'est dans le
jugement même par lequel je m'ouvre à la vérité que je la
reconnais comme éternelle. C'est cette valeur absolue du vrai
que voulait justement défendre le rationalisme et que nous
paraissent méconnaître à la fois le marxisme et l'existentialisme. L'homme est bien un être en situation, nul ne l'affirme plus nettement que le personnalisme. Mais cette
situation est celle d'un être écartelé entre le temps et
l'éternité, c'est cette double référence qui fait l'homme, qui
est l'homme, ce pélerin de l'Absolu. Nier l'un ou l'autre
c'est nier la condition humaine et ignorer la croyance qui
est ni pur savoir objectif prétendument universel ni simple
pari subjectif à la manière d'un projet temporel. Car la
croyance en son fond n'est qu'une progressive saisie de
l'éternité à travers le temps : non pas vision mais mouvement pour voir.

La croyance est ainsi l'unité de notre être pensant,
sentant et agissant. Et ce n'est point parce qu'elle réintègre
le savoir dans la totalité de la condition humaine qu'elle le
méprise ou en méconnaît la valeur. Situer l'intelligence
dans l'ensemble du devenir humain n'est pas renier ses lois
propres : la pensée qu'on appelle notionnelle est essentielle
à la croyance. La personne pour se réaliser doit traverser
la nature ; il y a des lois logiques, ou plutôt dialectiques,
de cette traversée aussi bien que des lois psychologiques

ou morales. Croire n'est point s'évader du monde pour
se réfugier en je ne sais quelle subjectivité, mais faire
effort pour en découvrir le *sens*. A la fois être-dans-le-monde
et être-supérieur-au-monde, le *croyant* n'est ni un moi
purement subjectif ni une raison impersonnelle, mais un
sujet concret, une conscience qui progresse dans la vérité en
y participant. La seule connaissance authentique est cette
réflexion progressivement intuitive qui ne peut se passer de
l'objet au moment même où elle le domine davantage.
Ainsi affirmer que la connaissance vraie n'est pas évasion
ou spectacle, mais *engagement* — engagement dans le temps
et l'éternité — c'est affirmer qu'elle est croyance. Le doute
et l'inquiétude sont, à l'intérieur de tout savoir, ce qui
l'oblige à s'élever sans cesse plus haut, à ne se satisfaire
d'aucun résultat, à se convertir toujours davantage à la
vérité. C'est à la profondeur du doute que répond l'ampli-
tude de la conversion. Celle-ci est la vraie réponse au doute.
Mais celui-ci subsiste toujours pour promouvoir une plus
complète conversion au vrai, un plus total engagement de
tout l'être qui s'efforce d'équivaloir par la dialectique de
sa pensée et de son acte à l'infinitude de son aspiration. La
croyance est l'équilibre toujours en mouvement du penser
et de l'agir qui procèdent du dynamisme originaire de l'être.
Que suis-je donc en définitive, sinon une interrogation
continue, un doute sur moi-même — et un doute en quête
de certitude. Il y a, si l'on veut, deux modes d'existence.
L'un, propre à l'objet, consiste à être pris dans le contexte
d'une expérience possible, l'autre, propre au sujet, consiste à
être à l'origine de toute expérience possible. Ces deux
modes d'être ne sont pas sur le même plan : être objet c'est
toujours être pour un sujet. Toute expérience est celle d'un
esprit. Mais le sujet spirituel est ce qui ne peut pas être inven-
torié : il n'est point la somme de ses propriétés ou qualités,
mais celui qui s'interroge sur elles et se met lui-même en
question. Il ne peut donc exister que par une sorte d'acte de
foi global, par une croyance qui est une réponse à un doute

toujours renaissant. La seule croyance que nous puissions
avouer est celle qui naît d'un doute toujours surmonté.

Reste, dira-t-on, que toute croyance est personnelle.
Certes ! Chaque âme a son itinéraire et aucune jamais ne
peut se placer au point de vue du tout. Dire que toute
connaissance, fût-ce la plus objectivée, est croyance, c'est
affirmer qu'elle relève toujours d'une expérience singulière :
il n'est point de pensée impersonnelle. Que serait une idée
qui ne serait point celle d'un sujet, une pensée qui ne serait
point celle d'un esprit ? Est-ce à dire que les valeurs de
communication et d'universalisme, dont le rationalisme
classique s'est fait le champion attitré, doivent être reje-
tées ? Nous avons assez dit le contraire, et s'il fallait absolument donner un qualificatif à notre position c'est celui de
rationaliste que nous revendiquerions. Nous pensons seulement que les termes du problème doivent être modifiés.
L'universalité n'est pas en nous le fait de je ne sais quelle
raison impersonnelle ; elle est le résultat progressif d'une
lente conquête de chaque individu en collaboration avec
l'humanité entière. Il faut en somme concilier deux valeurs
essentielles : le *concret*, qui est d'ordre existentiel et qui
comporte le réalisme de la personne, puisqu'en fait la
pensée n'existe que dans et par des sujets pensants, et ce
qu'on appelle improprement l'*objectivité*, qui semble exiger
que le sujet quitte son point de vue et cesse de se faire
centre pour s'identifier à une pensée impersonnelle. Or,
comme l'a justement montré Lenoble qui nous a le premier
donné une théorie personnaliste de la connaissance, c'est en
réalité dans l'expérience personnelle qu'il faut chercher le
principe de l'objectivité : celle-ci tire tous ses éléments de
l'expérience personnelle, par une mise en accord des différentes expériences individuelles. Le seul problème est celui
de l'accord des expériences. La recherche de la vérité est
l'effort commun de l'humanité : cet effort est historique,
pour l'individu comme pour l'humanité, et c'est le contrôle
constant des consciences les unes par les autres qui permet

le progrès du connaître. Et c'est au fond dire la même chose
qu'affirmer qu'on progresse dans la vérité ou qu'on communie davantage avec tous les hommes. Ce que les marxistes
appellent, magnifiquement *la réconciliation de l'humanité
avec elle-même* n'a de sens que comme une conquête progressive qui aboutirait à la limite à la réciprocité des
consciences. A l'insoluble problème de l'harmonie des
sujets dans une pensée impersonnelle, il faut substituer le
problème véritable de l'accord des consciences par la
connaissance des réalités concrètes. L'expérience humaine
est une collection d'expériences individuelles. Et le caractère propre de la science moderne, qui la différencie si nettement de la science antique, est précisément d'avoir informé
notre civilisation tout entière, d'y avoir créé un esprit de
collaboration dans la recherche et la découverte, d'avoir
développé un *esprit scientifique* qui est un esprit de confrontation et de communion : dire aujourd'hui que la science
fait partie de notre patrimoine commun, c'est dire qu'il y a
une socialisation continue de nos expériences, que nous ne
pouvons jamais poursuivre le vrai, fût-ce solitairement, que
comme représentant et délégué en quelque sorte de l'humanité entière. « Le chercheur, dit Doucy, se présente devant
la vérité en ambassadeur des autres consciences, porteur des
destinées de chacune et de toutes et il convoque à ses côtés
la multitude des personnes, comme s'il devait être tenu
responsable avec elles ou à leur endroit de la diffusion et du
règne de la vérité. » Nous ne pensons donc point, comme
pourraient parfois le laisser supposer certaines autres formules abruptes de Doucy, qu'il faille privilégier le croire
aux dépens du savoir : nous pensons que toute connaissance est croyance et que l'élément dit objectif et scientifique y joue un rôle plus ou moins considérable, mais toujours essentiel. On ne croit qu'avec les autres et, à la limite,
avec tous les autres. La notion de croyance est donc identique à celle de système ouvert ; et le communisme lui-
même, dans la mesure du moins où il demeure fidèle à

l'universalisme marxiste, consiste à croire que l'individu
sera parfaitement réconcilié avec lui-même lorsqu'il sera
intégralement réconcilié avec autrui.

III

La valeur de la croyance se mesure donc à sa capacité de
faire progresser l'individu et l'humanité : elle est croissance dans l'être. Croire, si l'on veut, c'est ouvrir le temps à
l'éternité. Ainsi s'explique que le critère ultime de la
croyance ne soit pas seulement logique, mais éthico-religieux. L'homme est un être en devenir, pérégrinal : il
risque de s'éparpiller dans l'espace et de se disperser dans la
durée. La croyance est consolidation de son être. La
connaissance purement intellectuelle « exile à l'infini tout
ce qu'elle croit étreindre » : la *notion* me sépare de l'objet
autant qu'elle m'y unit. La croyance au contraire relève
d'une logique supérieure, d'une *normative* qui est une
logique de la participation et de la communion. « Croire,
écrit Maurice Blondel, ce n'est pas affirmer simplement par
des raisons extrinsèques, ce n'est pas non plus attribuer à la
volonté le pouvoir arbitraire de dépasser l'entendement,
c'est vivifier les raisons intrinsèques, démontrables et
démonstratives, par l'adhésion de tout l'être ; c'est joindre
le complément d'un consentement cordial, volontaire et
pratique à l'assentiment raisonnable et rationnel. » Par la
croyance je m'ouvre à ce dont je participe comme par la
mort je rejoins ce dont je vis. Aussi la croyance ne porte-
t-elle pas exactement sur un objet, mais sur un être :
tandis qu'on a une *opinion sur* quelque chose, on *croit en*
quelqu'un. Il y a dans toute croyance, par delà une attitude
purement intellectuelle, une certaine confiance en un être.
La croyance, disions-nous, est personnelle et communautaire tandis que l'opinion est individuelle et sociale. On ne
peut pas croire sans se confier. Et il n'y a nulle connaissance qui ne suppose préalablement cette croyance primi-

tive et élémentaire qui est confiance en soi. La croyance
n'est pas seulement liée à la foi sous toutes ses formes,
mais peut-être plus profondément encore à l'espérance. Ce
qui signifie que la connaissance humaine est un devenir et
qu'il y a toujours en elle un au delà d'elle-même. S'imaginer
que la croyance n'est qu'un savoir inférieur est donc la
pire erreur ; la science n'est qu'un élément nécessaire et
insuffisant de toute croyance.

Aussi ne saurions-nous accepter, dans son sens obvie,
la célèbre formule de Malebranche : la foi passera, mais
l'intelligence ne passera pas. Laberthonnière déjà en a bien
décelé l'ambiguïté foncière. Sans doute est-il vrai que la
connaissance par foi est obscure ; elle n'est pas apaisante ;
elle donne soif d'autre chose ; elle aspire à une clarté qu'elle
ne possède pas. Mais ce serait une erreur de s'imaginer
qu'elle aspire seulement, à devenir plus claire et plus distincte et que dans un autre monde les vérités de foi devien-
dront des vérités de raison. Il importe avant tout de ne pas
se tromper sur la nature de son désir. Ce qu'elle veut ce
n'est pas réintégrer en elle la clarté de la connaissance
abstraite, mais parvenir à la perfection de l'union dont elle
est un commencement. Dans la foi il y a un élément de
connaissance notionnelle, les énoncés dogmatiques et un
élément de connaissance concrète, une relation nouvelle et
vécue de l'âme avec Dieu. Tout obscure qu'elle soit, la foi
est plus pénétrée de lumière que la raison pure : elle ne peut
en réclamer la clarté sans méconnaître sa propre valeur.
Le sens ultime d'une vérité se mesure à sa capacité de
transformation de l'être. Ce qui est vrai de tout savoir. Il
n'y a pas plus de science purement contemplative et
séparée de la technique que de dogmes abstraits sans relation avec la pratique. Les mathématiques elles-mêmes ne
sont pas simple contemplation d'essences, mais construction opératoire. La vérité est ce qui, par la médiation de
l'idée et de l'acte, appelle mon être et le transforme.
L'activité laborieuse est logée au cœur même de l'esprit et

l'on ne peut penser sans faire : il n'est pas de connaissance
sans expérience et la philosophie n'est pas autre chose en
définitive que la transformation par l'esprit de l'événement
en expérience. Autrement dit tout savoir est, en propor-
tions variées, croyance et sa valeur ultime est personnelle,
c'est-à-dire qu'elle se mesure à la profondeur de la conversion qu'il opère dans l'individu et dans l'humanité.

Ce qui encore une fois ne nous fait aucunement méconnaître la valeur méthodologique du rationalisme et même de
la pure raison critique. Nous reprocherions volontiers à
l'existentialisme — sauf à celui de Merleau-Ponty, qui s'efforce perpétuellement de se placer au centre du marxisme,
de l'existentialisme et du personnalisme — de méconnaître
le rôle nécessaire du savoir objectif dans toute connaissance
authentique. Sa tentation propre est de sacrifier la *prévision* au *projet* comme celle du marxisme est de sacrifier
le *projet* à la *prévision*. La première démarche de la pensée
sartrienne est de faire prendre à tout homme conscience
qu'il est entièrement responsable de son existence, et qu'en
se prenant ainsi en charge il devient maître et possesseur
du monde entier. Puisque l'homme se constitue comme
manque il faut bien, si l'on ose dire, qu'il se remplisse. Son
être ne peut donc être que son *faire :* il est sa vie, l'ensemble
de ses actes. Le monde est le lieu de son travail, l'objet de
son effort : il est un « monde de tâches ». Mais sa liberté est
au delà de chacune de ses tâches : il lui faut les dépasser
toujours. L'homme se crée tout entier à chacun de ses
actes. Sa seule nature, sa seule essence c'est son passé. « Ce
que je suis, c'est ce que j'étais, puisque ma liberté présente
remet toujours en question la nature que j'ai acquise. » Le
passé c'est ce qu'il y a de mort en nous ; et *Huis-Clos* nous
montre intensément que mourir c'est ne plus pouvoir se
faire, n'être plus libre, devenir la proie des autres, littéralement être passé. Aussi est-il curieux de remarquer que,
malgré l'opposition des doctrines, la liberté sartrienne procède de la même intention que la liberté kantienne :

libérer l'homme de son passé, lui permettre de s'assumer intégralement lui-même, rendre possible une *conversion* qui est un véritable changement de nature. Ou encore l'homme sartrien c'est le Dieu cartésien : absolument libre. Mais ce qui chez Kant n'est possible que par référence à l'éternité ne l'est chez Sartre que par référence au Néant. Il n'y a chez lui aucune objectivité des valeurs : elles sont toutes suspendues à une liberté qui n'est suspendue qu'à elle-même. L'homme sartrien est l'être par qui les valeurs existent et sa liberté « s'angoisse d'être le fondement sans fondement des valeurs ». Le passé à chaque instant risque de nous donner une nature et de nous engluer dans l'en-soi ; mais l'acte libre sait le recréer sans cesse. La liberté, en quoi consiste toute la moralité, est un invincible arrachement à soi vers l'avenir. Mais il est clair que c'est précisément la négation de toute référence à l'éternel qui amène Sartre à privilégier ainsi l'avenir aux dépens du passé. Il est vrai certes que nous pouvons à chaque instant modifier le sens même de notre passé ; mais cela ne se peut qu'à partir de lui et dans la mesure où nous dominons le temps. Sans la présence d'une transcendance authentique le temps et l'humanité se disloquent en projets innombrables qui, incapables de se composer, ne font que désarticuler l'individu. Critiquant cette conception, un marxiste, M. Lukacs écrit dans *Existentialisme ou Marxisme :* « Nous sommes à tout instant dans une situation radicalement nouvelle, nécessitant une décision radicalement nouvelle, un nouvel acte de notre liberté » et il déclare ce « nihilisme voisin de la folie ». Sartre n'analyse pas la consolidation de mon être que peut apporter le devenir. Parce que la version de sa philosophie est uniquement *mondaine*, il ne voit dans cet être tout entier jeté dans le monde qu'est l'individu qu'une *intention* vers le monde. Le *projet* humain est totalement mondain. Et puisque l'action de l'homme est toute tournée vers l'avenir, mais vers un avenir ici-bas, on peut, pour reprendre une expression de Maurice Blondel, appeler sa philosophie

un *futurisme*. Dans sa juste opposition au traditionalisme,
Sartre en vient à méconnaître le rôle irremplaçable de la
tradition. On l'a dit justement : nous sommes humains
parce que nous portons en nous l'histoire de l'humanité,
sinon nous ne serions que des boussoles affolées par l'instant.

Aussi toute dialectique est-elle inconcevable dans la
perspective sartrienne. Si à chaque instant je dois pour
ainsi dire repartir à zéro et me recréer tout entier, l'histoire
individuelle n'est qu'une suite de ruptures, l'histoire
humaine n'a pas de sens. A vrai dire c'est la notion même
d'histoire qui disparaît dans cette conception d'une « histoire
existentielle » où le passé n'aurait plus de réalité objective,
mais seulement celle que lui donne l'historien dans la
perspective du présent : la réaction justifiée contre Langlois
et Seignobos conduit abusivement à un véritable scepti-
cisme négateur de toute objectivité historique. L'*explication* est entièrement niée au profit d'un *sens* qui, sans
rapport avec une transcendance, apparaît absolument
gratuit, dépendant de l'arbitraire individuel. La notion
d'objectivité sociale disparait entièrement. Pour Merleau-
Ponty notamment la socialité se réduit en définitive — du
moins en droit — à l'inter-subjectivité : ce qu'il y a de
chose dans les faits sociaux est méconnu. C'est oublier que
l'homme n'est pas uniquement personne, qu'il ne le sera
jamais intégralement et que la traversée de la nature
implique en lui une part impersonnelle et objective. Il y a
une immersion de l'homme dans le monde social comme
dans le monde physique et les phénomènes juridiques sont
essentiels à la condition humaine : il n'y a pas plus de
morale sans des mœurs transmises que de science sans
constance des phénomènes. Il n'y a de sécurité — relative — pour le sujet que lorsqu'il sait sur quoi compter de
la part des autres comme de la nature, que dans la mesure
où il y a des *lois* (physiques et sociales) : la liberté commence
avec la possibilité de la prévision. Les faits sociaux sont
partiellement des choses et, contre la débauche moderne

de subjectivisme, peut-être y a-t-il aujourd'hui à retrouver la valeur de l'objectivité, jusque dans les sciences de
l'homme. Chez Sartre la notion de régulation ne joue
aucun rôle. La reprise de soi à chaque instant ne s'appuie
pas sur ce qui a été acquis, mais sur le néant. La « conden-
sation de l'histoire que j'ai vécue » c'est proprement mon
passé, c'est-à-dire ma nature, je ne suis libre que par un
effort de néantisation qui, bien loin de l'utiliser, ne fait
que s'y opposer. L'humanité perd toute réalité et s'éparpille
en une multiplicité d'individus qui se savent condamnés
à être libres, mais qui ignorent que la plus authentique
liberté est d'abord ratification de la situation de l'homme
et de sa signification plénière. En somme il y a une
double référence que méconnaît Sartre : la référence à
l'humanité, la référence à la transcendance. Sur le premier
point nous sommes d'accord avec la critique marxiste.
Le progrès n'est pas une pure re-création individuelle :
il est le développement de l'ordre véritable. Il y a certes
l'humanité que l'homme fait, mais il y a aussi l'humanité
qui fait l'homme. Et les deux ne peuvent être séparés.
Tandis que pour l'existentialisme sartrien, la liberté ne peut
que se prendre elle-même pour objet, chez le marxiste
elle est adhésion, volontaire et consciente certes, mais
adhésion à une réalité objective ou plutôt participation
à une dialectique de la nécessité. Un minimum de rationalisme peut seul nous donner prise sur le monde, tandis
que la liberté vide d'objet de l'existentialisme rend impossible toute action cohérente. Au contraire en faisant de la
plus haute liberté une liberté d'adhésion les marxistes
donnent à l'activité humaine une consistance et une consolidation qui échappent aux existentialistes. Il est bon de
prôner le risque ; encore l'action risquée doit-elle être
raisonnable, sinon strictement rationnelle, entendons *pro-
bable*, au sens blondélien, c'est-à-dire « prouvable, si l'on
fait l'effort de générosité nécessaire au contrôle du devoir
par le devoir obéi. C'est à ce prix que la certitude parfaite-

ment raisonnable ne manque jamais à la volonté droite et que, même à travers les ombres de notre vie itinérante, la finalité initiale s'achemine sans risques vers le suprême aboutissement de la condition humaine. Il s'agit donc non d'un aléa, d'un pari, d'une option arbitraire, mais d'une sécurité véritable qu'un examen rationnel et expérimental tout ensemble éclaire et confirme ». Mais cette analyse montre à son tour ce qu'il y a d'insuffisant dans le marxisme, quelle que soit sa supériorité sur l'existentialisme pur. S'il n'y a pas seulement pour lui des histoires individuelles, mais une histoire humaine il ne peut lui donner de sens faute de la transcender ; s il peut formuler des *jugements historiques*, immanents au devenir même, il ne peut prononcer aucun *jugement sur l'histoire*, faute d'une eschatologie. Pour Marx comme pour Hegel l'histoire est une théodicée : il n'est point de jugement dernier, mais l'histoire elle-même est un jugement dernier. L'individu alors risque d'être son prisonnier, parce qu'elle ne s'ouvre à aucun au-delà qui libère l'homme. Ainsi la philosophie moderne oscille-t-elle entre le projet et la prévision sans arriver à les réconcilier. Le personnalisme, lui, s'efforce d'éclairer le projet par la prévision, tout en sachant la part d'irréductible liberté qu'il recèle.

Aussi conviendrait-il pour préciser de distinguer deux sortes de croyances. Il y a d'abord la croyance toute naturelle et spontanée, automatique, à la fois individuelle et grégaire, la « violence psychologique », qui mérite le nom de crédulité et que Renouvier appelle *vertige mental :* elle consiste très exactement en la suprématie de la vie spontanée sur la vie réfléchie. Elle rend d'ailleurs impossible toute dialectique, puisqu'elle est la définition même du plus grossier dogmatisme. Au contraire la véritable croyance, celle qui est à la fois personnelle et communautaire, ne commence qu'avec la réflexion, c'est-à-dire après cet arrêt qui est le doute. Si bien que tout le progrès de la pensée humaine consiste à s'élever de la croyance

automatique à la croyance personnelle grâce au doute.
La crédulité est purement subjective, mais il faut bien
comprendre en quel sens. L'homme crédule est dominé par
l'objet : son extrême subjectivité naît de l'absolue prédominance en lui de l'objet : celui-ci s'affirme spontanément
en moi en créant l'adhésion par une sorte de vertige. En
somme la crédulité c'est l'objet qui s'impose à nous, c'est
une croyance entièrement subjective et qui cependant
n'est pas notre œuvre. C'est grâce au doute au contraire,
qui libère le sujet de la fascination de l'objet, que la
croyance devient nôtre : la croyance authentique n'est pas
seulement celle qui est en moi mais celle que j'avoue. Et cette
notion d'aveu est peut-être ce qui éclaire le plus celle de
croyance. Si je n'avoue que ce que j'accepte de moi-même,
si l'aveu ainsi porte toujours sur l'être, il faut dire que ma
croyance est mon plus profond aveu. La psychologie
contemporaine place le doute, qui est en somme le pouvoir
de nier, dans la perspective d'une évolution de nos croyances
comportant trois étapes essentielles. A une première étape,
à l'étape de la crédulité primitive, comme dit Bain,
l'adhésion à une croyance est spontanée, irréfléchie : cette
adhésion, pré-critique, est plutôt ahérence. Puis vient
l'attitude critique, mettant en doute la vérité des jugements auxquels nous avions accordé jusque là notre assentiment. Enfin, à un troisième stade, l'adhésion n'est
accordée qu'après une délibération réfléchie qui ne donne
aux croyances que la valeur conforme à cette réflexion. Le
doute ainsi est le deuxième moment de ce schéma et chacune de nos croyances doit être soumise à cette négation
critique qui en serait la prise de conscience. Description
juste, sous une double réserve. Il est clair d'abord qu'il
faut distinguer nos croyances spontanées de la spontanéité
de l'esprit qui est son pouvoir d'affirmation : les premières
applications de ce pouvoir sont à éliminer par un doute
critique qui ne doit pas ébranler la positivité essentielle de
l'esprit, mais au contraire l'éprouver, c'est-à-dire la révéler.

Ensuite le troisième stade ne doit point éliminer radicalement le doute ; celui-ci doit rester immanent à la plus haute
croyance pour la promouvoir toujours. Aussi disions-nous
précédemment que comprendre c'est objectiver une inquiétude dans un système.

*
* *

La croyance est rencontre : elle est rencontre de l'homme
avec la vérité comme avec les autres hommes. Son caractère particulier vient de ce que l'homme est un être pérégrinal qui par elle consolide son être. Aussi la conscience
croyante est-elle, si l'on peut dire, perpétuellement dialec-
tisée : croire c'est à la fois devenir et être. C'est pourquoi la
connaissance de tout individu comme de l'humanité est histoire : la temporalité, l'historicité sont constitutives de la
croyance. Ce qui peut s'énoncer encore en disant que la
croyance est toujours une expérience personnelle et que la
marche même de l'humanité est faite de la confrontation et
de l'assimilation de ces multiples expériences. Mais si elle
n'était que projet temporel, l'idée même de vérité perdrait
tout sens : croire c'est éprouver en espérance dans l'histoire,
même un au delà de l'histoire. Le *croyant* croit d'abord à une
œuvre : pour lui la personne et l'humanité sont à faire. Aussi
est-il un être de progrès, puisqu'il est un être d'espérance :
c'est nécessairement dans leur traversée de la nature et par
une aventure mondaine que les hommes se réalisent. Et l'on
ne peut croire à rien, si l'on ne croit premièrement et indissolublement en soi et en l'humanité, si l'on ne se fait soi-
même dans sa communauté avec les autres hommes.
Croire c'est espérer et vouloir que tous les hommes soient
les uns pour les autres des sujets, et réaliser les conditions
mondaines et supra-mondaines de cette parfaite réipro-
cité des consciences. C'est dans et par l'accomplissement
d'une œuvre commune que nous ferons coïncider l'humanité en extension avec l'humanité en compréhension et tel

est le point essentiel où la conscience inquiète du croyant se
rencontre avec la conscience inquiète du marxiste. Mais ne
serait-ce pas courir après le pire échec et le plus complet
désespoir que de se contenter d'un but qui, une fois atteint,
ne saurait satisfaire l'homme ! Certes nous ne découvrons
jamais que des vérités particulières ; mais que vaudraient-
elles si nous n'y reconnaissions la présence et l'immanence
de la Vérité ? Une dialectique purement temporelle perdrait tout sens et toute signification. N'est-ce pas Engels
lui-même qui a écrit que « pour la dialectique il n'y a rien de
définitif, d'absolu, de sacré devant elle ; elle montre la
caducité de toutes choses et en toutes choses et rien n'existe
pour elle que les processus ininterrompus du devenir et du
transitoire ». L'absurde n'est pas ce qui manque d'explication, mais de sens. Croire c'est toujours croire en un *sens*.
Si le monde est un rêve, disait Lachelier, je ne suis qu'un
rêveur. Je ne puis poser ma propre réalité sans poser du
même coup celle des autres et du monde. Et les affirmer
c'est admettre, qu'il y a dans le temps plus que le temps :
une dialectique purement temporelle en viendrait à se nier,
si elle ne s'ouvrait à plus qu'elle, si elle n'avait une orientation.

Lorsque donc nous parlions d'une *réflexion progressivement intuitive* nous voulions dire précisément qu'il y a,
immanente au discours, une intuition qui ne peut jamais
être saisie à part, mais qui en fait toute la valeur. Cela ne
signifie pas qu'il existe au ciel intelligible une histoire
toute faite et que nous n'avons qu'à répéter, cela veut dire
au contraire que l'histoire humaine est réelle, qu'elle a un
sens et une consistance, qu'elle est bien notre œuvre et que
cette œuvre a cependant quelque chose de sacré, parce
qu'elle conduit au delà d'elle-même ou plus exactement
parce qu'il y a en elle plus qu'elle. La temporalité est sans
doute la mesure de notre distance à Dieu ; et l'on ne voit
pas qu'elle puisse complètement s'évanouir sans que nous
cessions d'être humains. Aussi, sous une forme ou sous une

autre, subsistera-t-elle toujours : comme il y a une joie latente dans nos pires inquiétudes terrestres, ainsi demeurera-t-il une part d'inquiétude, sans doute transformée et transfigurée, dans nos plus hautes joies. « A la mort, nos relations avec l'éternité changent sans doute de mode, écrit dom Thomas Dussance dans *Témoignages*. Mais n'est-ce pas pure imagination que de dire que c'est à ce moment que nous entrons dans l'éternité ? Le temps n'est jamais sorti de l'éternité, pas plus que la création ne peut être hors de Dieu. Nous avouons d'ailleurs ne pas comprendre du tout pourquoi l'on s'obstine à terminer l'histoire de l'homme à la mort ; l'histoire de l'homme ne finira qu'avec l'homme, c'est-à-dire jamais. » On ne voit pas comment la conscience humaine pourrait cesser d'être une conscience inquiète, c'est-à-dire une conscience croyante. Mais l'on peut concevoir aussi une joie de plus en plus pleine à mesure que l'*intention* fondamentale de notre être se réalisera davantage. Croire c'est anticiper dans une expérience actuelle sur un avenir déjà en quelque sorte présent, ou plutôt, la croyance qui porte sur le seul avenir pouvant finir par n'être qu'un mirage trompeur, c'est réconcilier le temporel et l'éternel dans une croissance actuelle de l'être, car le présent n'est que la présence de l'éternité dans le temps.

Due

TABLE DES MATIÈRES

1897   4

1955. — Imprimerie des Presses Universitaires de France. — Vendôme (France)
ÉDIT. N° 24.045   IMP. N° 13.910